MARCEL PROUST.
Portrait par Jacques-Émile Blanche.

Une exigence de netteté.

Nous avons apporté un soin particulier à la charpente de l'exposé. Nous nous sommes proposé de donner aux élèves des cadres très nets, afin de leur faire bien saisir la continuité de l'évolution littéraire, les caractères généraux de chaque période, les tendances dominantes des principales écoles, les intentions maîtresses des grands écrivains. Pour réaliser ce dessein, nous avons, cela va sans dire, renoncé à toute érudition, et nous avons omis jusqu'au nom de certains auteurs secondaires, plutôt que de procéder à de vaines énumérations.

Nous avons attaché une grande importance à la mise en pages et à la disposition typographique. L'usage des manchettes et des sous-titres, l'emploi de l'italique, nous ont permis de mettre en valeur les faits majeurs et les idées importantes. Des tableaux rappellent les dates principales, marquent la relation entre les événements historiques et les événements littéraires ou illustrent certains développements délicats : nous avons figuré les étapes de la formation de la langue française, les diverses attitudes des théologiens en face du problème de la Grâce, la classification des gouvernements proposée par Montesquieu, le mécanisme de l'imagination chez Victor Hugo.

*Enfin, nous avons établi pour les plus grands écrivains, de Villon à André Gide, des **schémas** qui donnent une vision d'ensemble de leur vie et de leur œuvre. Le schéma comporte un ou plusieurs cercles, où sont indiqués les événements capitaux, les crises décisives, qui jalonnent l'existence de chaque écrivain : ainsi, pour Mme de Sévigné, la séparation d'avec sa fille, qui est à l'origine de ses plus belles lettres; pour Victor Hugo, le deuil, puis l'exil qui mûrissent son génie. Ces cercles coupent une flèche où s'inscrivent les grandes divisions de l'étude chronologique; enfin, des volumes figurés portent l'indication des œuvres principales et de leur caractère essentiel. Ces schémas, examinés avant toute étude, permettent aux élèves de prendre un premier contact avec l'auteur; consultés au cours de l'étude, ils l'orientent et en soulignent le plan; revus après l'étude, ils en fixent les cadres dans la mémoire.*

*
* *

leur évolution dans une analyse qui suit à la fois les étapes de leur existence et les moments de leur création littéraire : ainsi chacun de leurs ouvrages essentiels est présenté à sa date, en relation avec les données de la biographie qui peuvent en expliquer la genèse, et c'est seulement au terme de cette analyse que nous regroupons, en une sorte de synthèse, les aspects principaux de leur génie ou de leur talent « dans son développement et dans sa continuité », et l'étude de la forme n'est pas séparée de l'étude du fond.

Nous avons mis notre exposé au courant des travaux les plus récents. L'érudition moderne a profondément modifié l'opinion qu'on pouvait se faire au siècle dernier, ou parfois même il y a seulement vingt ans, sur tel grand écrivain ou telle grande période. Ainsi pour les Chansons de geste : si Joseph Bédier, dans son célèbre ouvrage « Les Légendes épiques », a détruit d'anciennes erreurs, quelques-unes de ses conclusions ne sauraient déjà plus être acceptées sans réserves. Ainsi pour la période du XVIIᵉ siècle qui précède la grande génération classique : les études contemporaines sur le mouvement libertin, sur l'esprit précieux, sur l'art baroque, permettent aujourd'hui de la définir d'une façon positive, et nous ne pouvons plus voir dans les écrivains de ce temps qui n'ont pas accepté d'emblée la discipline de Malherbe des attardés ou des égarés. A propos de nos plus grandes gloires même, que de légendes ont été ruinées! Corneille, La Fontaine, Boileau, Rousseau, Balzac, apparaissent sous un nouvel éclairage.

Nous avons également tenu compte de l'évolution du goût. L'histoire littéraire se renouvelle constamment; chaque génération revise et modifie les jugements de celle qui l'a précédée; et, s'il importe de ne jamais céder aux caprices de la mode, il n'est pas permis d'entretenir, par un respect superstitieux de la tradition, des préjugés évidents. Ainsi, le recul qui manquait encore au début de ce siècle nous permet de mieux discerner aujourd'hui les tendances principales de notre poésie depuis Baudelaire; nous avons jugé indispensable d'indiquer aux élèves l'importance réelle d'un Verlaine, d'un Rimbaud, d'un Mallarmé. Même pour les écrivains plus anciens, un reclassement s'impose : Agrippa d'Aubigné, Vauvenargues, Nodier, Gérard de Nerval, d'autres encore ont été longtemps méconnus : nous leur avons donné leur place.

XXᵉ SIÈCLE

PREMIÈRE PARTIE

L'AVANT-GUERRE

CHAPITRE PREMIER

VUE GÉNÉRALE

DANS les dernières années du XIXᵉ siècle, une réaction se dessine contre les abus de l'école naturaliste : les romanciers, en général, ne veulent plus se borner à peindre avec objectivité les mœurs de leur temps ; ils prennent plus ou moins parti dans leurs livres ; mais leurs tendances sont bien diverses.

Maurice Barrès, Paul Bourget, défendent l'ordre public, les traditions morales et religieuses ; ils sont considérés par la société bourgeoise comme des « maîtres à penser ».

Anatole France, Romain Rolland, appellent au contraire de leurs vœux des réformes libératrices, accueillent même l'idée d'une révolution sociale et donnent leur sympathie ou leur adhésion aux doctrines d'extrême-gauche.

D'autres écrivains, cependant, demeurent indifférents au conflit des idées : épris d'évasion ou d'aventure, Pierre Loti, Alain-Fournier, Valéry Larbaud, fixent dans leurs romans des images de leurs rêves ou de leurs voyages.

LA première moitié du XXᵉ siècle est placée sous le signe d'une guerre menaçante ou présente. La littérature subit le contrecoup des événements capitaux où semble mis en jeu l'avenir d'une civilisation.

Aux environs de 1900, le péril extérieur, pourtant redoutable, préoccupe moins gravement les esprits que les débats de politique intérieure : l'affaire Dreyfus contraint chaque citoyen à prendre parti et de violentes querelles opposent les forces de droite au « bloc des gauches ». La Ligue de la Patrie française, où se retrouvent la plupart des académiciens, la Ligue des Patriotes animée par Paul Déroulède, l'Action française, fondée par Charles Maurras, recrutent l'opposition nationaliste et monarchiste, tandis que se succèdent au pouvoir des ministères de défense républicaine et que s'organise à l'extrême-gauche, malgré de vives controverses doctrinales, un parti socialiste unifié. Mais la crise marocaine de 1904 ranime l'hostilité franco-allemande : dès lors, c'est sur le terrain de la défense nationale que s'opposent le plus violemment les esprits ; avec l'Europe tout entière, la France s'achemine vers la guerre.

Au cours de cette période, la plupart des écrivains cèdent à la fièvre ou à l'inquiétude qui s'empare de l'opinion publique. Les romanciers, notamment, cessent d'être des peintres objectifs : Maurice Barrès, Paul Bourget défendent des thèses nationalistes et conservatrices ; Anatole France, Romain Rolland, exaltent un idéal d'émancipation humaine. La poésie semble moins influencée par les événements ; Paul Bourget ... Le Disciplinaire est conscient des nécessités que ... modernes ... Anatole France ... Charles Péguy, rompent ... tout ... siècle ... en chrétiens les problèmes ... nombreux applaudit à la frivolité ... Edmond Rostand, un public plus res-... mais ... soulève François de Curel ; ... élite disc... dramatique annoncée par les ... chefs-d'œuvre ...

L'AVANT-GUERRE
(1890-1914)

Photo Archives Historiques

ANATOLE FRANCE

**D'UNE GUERRE
À L'AUTRE
(1914-1940)**

Les années qui suivent l'Armistice sont des années de détente et d'espérance ; la Société des Nations semble apporter la promesse d'une paix stable et le pacte de Locarno, signé en 1925, répond aux aspirations de ceux qui rêvent d'une Europe unie. *Mais ces illusions pacifistes durent peu* ; le conflit d'Extrême-Orient, les succès du fascisme et de l'hitlérisme, la révolution franquiste en Espagne, la course aux armements, sont les signes avant-coureurs d'une nouvelle guerre mondiale.

L'évolution de la littérature est à l'image des événements. Les combats ont anéanti bien des talents consacrés ou méconnus ; mais des hommes nouveaux se révèlent et s'orientent dans des voies encore mal explorées. Les recherches esthétiques de *Paul Valéry*, la révolte d'*André Breton* et des écrivains surréalistes, sont des manifestations divergentes d'un génie créateur qui s'éloigne de l'actualité immédiate. Les romans de *Marcel Proust*, d'*André Gide*, de *François Mauriac*, de *Montherlant*, de *Colette*, tout en prenant appui sur la réalité du siècle, tendent à dégager une vérité universellement humaine. Au théâtre enfin, d'audacieuses expériences de mise en scène stimulent un public qui cherche avant tout des satisfactions d'art. Vers 1930, cependant, des préoccupations différentes s'imposent aux écrivains : *André Malraux* dénonce les menaces nouvelles qui pèsent sur le monde, tandis que *Jules Romains* tente de recueillir les enseignements des années écoulées ; d'autres romanciers, *Georges Bernanos*, *Jean-Paul Sartre*, circonscrivent les problèmes qui se posent avec acuité aux hommes de leur temps ; des poètes formés à l'école du surréalisme, *Aragon*, *Paul Eluard*, mettent leur inspiration au service d'une cause sociale ; sur la scène, *Jean Giraudoux*, imité bientôt par *Jean Anouilh*, recourt au mythe pour poser des questions brûlantes.

**LE TEMPS PRÉSENT
(1940-1957)**

La défaite, l'occupation du territoire national, la détresse économique, les persécutions politiques et raciales, ont créé dans le pays un désarroi moral qu'une paix trop précaire n'a pu entièrement dissiper. Nous demeurons plongés dans une crise dont la littérature actuelle reflète la gravité. Beaucoup d'écrivains dénoncent, à l'exemple d'*Albert Camus*, l'absurdité cruelle d'un monde bouleversé ; mais ils ne s'abîment pas dans un désespoir stérile ; le refus d'un ordre inhumain leur semble au contraire un point de départ nécessaire pour quiconque veut travailler à l'élaboration d'un nouvel humanisme.

OUVRAGES À CONSULTER

R. Lalou. *Histoire de la Littérature française contemporaine*, nouvelle édition (P. U. F., deux vol., 1941). — H. Clouard. *Histoire de la Littérature française du Symbolisme à nos jours* (Albin Michel, deux vol., 1947-1949). — M. Girard. *Guide illustré de la Littérature française moderne* (Seghers, 1949). — G. Picon. *Panorama de la Littérature française d'aujourd'hui* (Gallimard, 1951). — G. Lanson. *Histoire de la Littérature française*, remaniée et complétée pour la période 1850-1950 par Paul Tuffrau (Hachette, 1952).

LE TRADITIONALISTE
(1893-1923)

LA COLLINE INSPIRÉE.

Photo Jean Roubier.

« Il est des lieux qui tirent l'âme de sa léthargie, des lieux enveloppés, baignés de mystère, élus de toute éternité pour être le siège de l'émotion religieuse... La Lorraine possède un de ces lieux inspirés. C'est la colline de Sion-Vaudémont, faible éminence sur une terre la plus usée de France, sorte d'autel dressé au milieu du plateau qui va des falaises champenoises jusqu'à la chaîne des Vosges. » (Maurice Barrès.)

B. — PAUL BOURGET (1852-1935)

L'ÉVOLUTION DE BOURGET

Paul Bourget a d'abord publié des vers, puis réuni en *Essais de psychologie contemporaine* (1883-1885) de pénétrantes études critiques sur les écrivains qui ont joué le plus grand rôle dans sa formation intellectuelle : Baudelaire, Renan, Flaubert, Taine, Stendhal. Ses premières œuvres romanesques, *Cruelle Énigme* (1885), *André Cornélis* (1887), marquent surtout une volonté de réaction contre le naturalisme et un retour au roman d'analyse. Mais bientôt, Bourget introduit dans ses récits des préoccupations idéologiques : dans *Le Disciple* (1889), il dénonce le déterminisme psychologique de Taine et le dilettantisme de Stendhal comme des dissolvants moraux. Désormais, il écrit des romans à thèse, où il défend toutes les traditions et combat toutes les nouveautés : ainsi, *L'Étape* (1902) tend à prouver que le progrès de la démocratie dans la société s'accompagne des plus fâcheuses convulsions ; *Un Divorce* (1904), montre les funestes effets de la législation moderne qui a remis en cause le principe chrétien de l'indissolubilité du mariage.

LA DISCIPLINE DU STYLE

Paul Bourget fut longtemps considéré comme un très grand romancier par la génération de 1900. Son style aspire aux plus strictes exigences de l'art. Sa phrase, parfois majestueuse et parée du prestige des plus harmonieuses cadences, est plus souvent incisive, ramassée, d'une brièveté coupante et un peu hautaine. Ainsi, dans l'analyse psychologique comme dans la peinture des mobiles, Bourget... sa phrase, enfin, est lourde et sait son art. Le même souci de sobriété expressive préside à la composition des portraits qu'il nous a laissés de certains contemporains illustres, par exemple Clemenceau, « né agressif et qui, même dans la vie familière, procède par interpellation directe et par intimidation, les bras croisés, le regard insulteur, la figure verte ».

LES ÉMULES DE BOURGET

Catholiques et traditionalistes, René Bazin (1853-1932), Henry Bordeaux (né en 1870), illustrent des thèses analogues à celles de Bourget. Le premier a étudié avec sympathie l'âme des paysans et décrit les épisodes de leurs humbles existences (*La Terre qui meurt*, 1899 ; *Le Blé qui lève*, 1907) ; le second a agencé avec solidité des drames domestiques où se dégagent des leçons de fidélité à la famille et à la religion (*Les Roquevillard*, 1906 ; *La Neige sur les Pas*, 1911). Plus souple et parfois même légèrement incertain, Marcel Prévost (1862-1941) a surtout été attentif à la psychologie féminine : ses *Lettres à Françoise* (1902-1927) présentent avec esprit un système bourgeois d'éducation moderne.

C. — BOYLESVE ET ESTAUNIÉ

LE SAGE HUMANITAIRE (1897-1924) — En 1897 s'ouvre la campagne pour la revision du procès Dreyfus : Anatole France prend parti et compte bientôt parmi les dreyfusistes. Ce changement d'attitude à l'égard des problèmes de son temps apparaît très nettement à travers son œuvre. Dans *L'Orme du Mail* (1896), puis dans *Le Mannequin d'osier* (1897), il avait campé un nouveau personnage à sa ressemblance, un universitaire, M. Bergeret, grand maître de scepticisme ; dans *L'Anneau d'améthyste* (1899) et dans *M. Bergeret à Paris* (1901), les deux derniers volumes de cette suite qui recevra le nom d'*Histoire contemporaine*, le héros se mêle à la bataille politique et, sans oublier ses chers livres, s'élance dans l'aventure d'un ordre plus juste et plus humain.

RENÉ BOYLESVE (1867-1926) — Mais Boylesve reste surtout l'auteur d'études de la vie provinciale : *Mademoiselle Cloque* (1899) retrace l'existence d'une vieille fille qui, par son héroïsme intransigeant, fait un noble et malheureux... *La Becquée* (1901) a pour héroïne une « jeune fille bien élevée », que son milieu contraint à un pénible mariage de raison. *Madeleine jeune femme* (1912)...

L'Histoire contemporaine.

L'Orme du Mail. — L'Orme du Mail est l'arbre sous lequel ont coutume de converser le sceptique M. Bergeret, maître de conférences à la Faculté des lettres d'une ville de province, et le dogmatique abbé Lantaigne, supérieur du Grand Séminaire. Les principaux notables de la ville sont peints ou esquissés en quelques traits : Mgr Charlot, l'archevêque; les préfets Worms-Clavelin, le général en retraite Cartier de Chalmot; l'abbé Guitrel, « professeur » au séminaire; l'archiviste départemental Mazure; M. de Terremondre, président de la société d'agriculture et d'archéologie; l'orfèvre Rondonneau jeune, le libraire Paillot, dont M. Bergeret aime à hanter la boutique.

L'Anneau d'améthyste. — L'Anneau d'améthyste, insigne du pouvoir épiscopal, est convoité simultanément par l'abbé Lantaigne et par l'abbé Guitrel; c'est Guitrel, plus souple et plus habile, qui finira, par l'obtenir. Cependant, l'affaire Dreyfus a éclaté : les notables de la ville s'opposent tous à la revision du procès; à peu près seul parmi eux recteur, M. Bergeret, dans l'héroïsme de sa conscience brave l'opinion publique; il affirme sa conviction avec mesure et sérénité. Quand il ressent trop douloureusement l'injustice des hommes, il se console en se livrant à quelque savante besogne, ou bien en apostrophant son chien Riquet, génie familier de sa demeure.

Le Mannequin d'osier. — Sur ce Mannequin, Mme Bergeret drape les jupes taillées par elle. M. Bergeret n'est guère heureux en ménage; pour comble de disgrâce, sa femme le trahit avec son disciple préféré, M. Roux. Ulcéré malgré sa sagesse, M. Bergeret rompt avec l'infidèle et choisit comme confident de ses pensées un autre disciple, M. Goubin. Il abandonne à l'amertume et au désenchantement leurs anciens élèves.

M. Bergeret à Paris. — Nommé à la Sorbonne, le professeur dreyfusiste est honni par les... Il... dans le pays, une agitation violente. La plupart d'entre eux rêvent d'une restauration monarchiste; mais ils n'ont aucun programme positif et semblent embarrassés par leurs propres victoires. M. Bergeret les juge avec une ironie tranquille, qui n'exclut pas la vigilance. *Ferment* (1899) étudiait chez certains individus le développement de la mystique anarchiste sous l'influence du prolétariat intellectuel. Par la suite, Estaunié élargit sa conception du roman et s'oriente vers le spiritualisme : *L'Ascension de M. Baslèvre* (1919) est l'histoire d'un être insignifiant qu'un amour malheureux élève au mysticisme; *L'Appel de la Route* (1919) et *L'Infirme aux mains de lumière* (1923) montrent que l'épreuve de la souffrance impose la croyance à l'immortalité.

ÉDOUARD ESTAUNIÉ (1863-1943) — ... ses premières œuvres d'inspiration rationaliste : dans *L'Empreinte* (1896), Estaunié, qui reprochait aux méthodes des jésuites de paralyser la personnalité...

Désormais, Anatole France mêle à presque tous ses écrits des préoccupations sociales. Dans *L'Affaire Crainquebille* (1902), il conte la pitoyable aventure d'un marchand des quatre-saisons injustement accusé d'avoir poussé un cri séditieux. Dans *L'Île des Pingouins* (1908), associant l'ardeur polémique à la fantaisie, il retrace, sous une forme allégorique, l'histoire du peuple français jusqu'à l'affaire Dreyfus. Dans *La Révolte des Anges* (1914), il imagine une campagne menée contre le paradis par des anges déchus; et, sous le couvert de ce mythe, il dénonce l'esprit de violence et de tyrannie. Il redoute d'ailleurs les excès qui naissent des révolutions; dans *Les Dieux ont soif* (1912), dont l'action se déroule sous la Terreur, il a peint le fanatisme d'Évariste Gamelin, héros pur, mais sanglant, dont le zèle républicain sacrifie sans remords des vies humaines sur l'autel des dieux populaires. En dépit de ces appréhensions, il adhère aux doctrines d'extrême-gauche et devient même, dans les dernières années de sa vie, un porte-drapeau du parti communiste.

II. — ÉMANCIPATION ET PROGRÈS

2. — LES OPINIONS D'ANATOLE FRANCE
A. — ANATOLE FRANCE (1844-1924)

Comme Montaigne, comme Voltaire, Anatole France a laissé, non pas un

A NATOLE FRANCE *évolue du scepticisme aimable au socialisme militant; mais il redoute les effets de la passion politique et demeure un apôtre de la tolérance.*

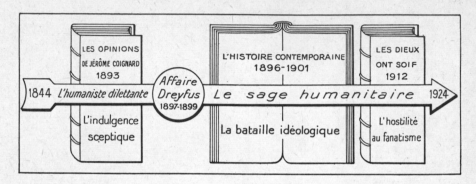

1. — LA CARRIÈRE D'ANATOLE FRANCE

L'HUMANISTE DILETTANTE (1844-1897)

Anatole Thibault, qui devait prendre le pseudonyme d'Anatole France, est né à Paris; son père, libraire quai Malaquais, lui donne de très bonne heure le goût des beaux livres et des belles lettres. Il a évoqué, notamment dans *Le Livre de mon Ami* (1885), les principaux épisodes de son enfance studieuse et douce. Au collège Stanislas, il apprit à connaître les grandes œuvres de l'antiquité gréco-latine; il devint bientôt un humaniste averti. Commis de librairie chez Bossange, puis lecteur chez Lemerre, l'éditeur des Parnassiens, il se lia d'amitié avec Leconte de Lisle, qui le prit comme adjoint à la bibliothèque du Sénat; sous l'égide de ce maître, il publia un recueil de *Vers dorés* (1873), puis un poème dramatique, *Les Noces corinthiennes* (1876).

Anatole France acquit la réputation d'un pur artiste, peu soucieux de frayer avec le monde moderne. Pendant six ans, il tint, au journal *Le Temps*, la chronique de *La Vie littéraire* (1887-1893) et il y témoigna d'une grande largeur de goût, qui, cependant, ne l'empêchait pas de juger sévèrement l'obscurité des symbolistes et la crudité des naturalistes. On s'était plu à le reconnaître, dans l'un de ses premiers romans, *Le Crime de Sylvestre Bonnard* (1881), sous les traits d'un aimable érudit à l'âme ingénue; dans *La Rôtisserie de la Reine Pédauque* et dans *Les Opinions de Jérôme Coignard* (1893), on l'identifia à son nouveau héros, un étrange abbé, indulgent aux faiblesses de ses semblables, mais grand contempteur des institutions humaines. Il ne semblait croire lui-même en rien, sinon en un idéal de sagesse et de beauté païennes qui revit dans un récit symbolique, *Thaïs* (1890), dans un roman psychologique au décor florentin, *Le Lys rouge* (1894), dans un recueil de réflexions et de maximes, *Le Jardin d'Épicure* (1895).

LE ROMAN 13

B. — ROMAIN ROLLAND (1866-1944)

**LA JEUNESSE
DE ROMAIN ROLLAND** Né à Clamecy d'une famille bourguignonne et nivernaise, Romain Rolland, après des études au lycée Louis-le-Grand, entre à l'École Normale Supérieure en 1886. Il se lie avec André Suarès, découvre Spinoza et Tolstoï, s'enthousiasme pour la musique et aspire à « la liberté absolue de vie et de pensée ». Agrégé d'histoire en 1889, il est envoyé en mission à Rome par l'École Française; puis il enseigne l'histoire de l'art à l'École Normale et la musicologie à la Sorbonne. Il débute en littérature par des pièces de théâtre : il veut toucher un vaste public en écrivant des drames historiques qui « rallument l'héroïsme et la foi de la nation »; mais ses deux cycles *Tragédies de la Foi* et *Théâtre de la Révolution* n'obtiennent qu'un accueil réservé. Il rédige ensuite, avec plus de succès, des *Vies des hommes illustres* (*Beethoven*, 1903; *Michel Ange*, 1906; *Tolstoï*, 1911).

**JEAN-CHRISTOPHE
(1904-1912)** De 1904 à 1912, Romain Rolland publie, dans les *Cahiers de la Quinzaine*, les dix volumes de *Jean-Christophe*, biographie fictive d'un compositeur génial qui fait penser tantôt à Beeethóven, tantôt à l'auteur lui-même. Sinueuse et ample comme une symphonie, cette œuvre à la gloire du génie créateur connaît un grand succès.

Jean-Christophe Krafft, né dans une petite ville de l'Allemagne rhénane, connaît de bonne heure la misère et les humiliations, mais son enfance est illuminée par la révélation de la musique, où il sent revivre l'âme des génies disparus (*L'Aube*). Les Krafft sont ruinés : Christophe, à quatorze ans, devient chef de famille et donne des leçons de piano. Plus il se voue à des tâches médiocres, plus il aspire à l'indépendance. Il fait la connaissance du jeune Otto Diener et se donne tout entier à l'amitié; puis il s'éprend d'une de ses élèves, Minna; mais le mariage est impossible. La crise qu'il traverse trempe sa volonté (*Le Matin*). Un nouveau cycle de jours commence, pleins de fièvre et de mystère. Le héros devient amoureux d'une veuve, Sabine, qui meurt, puis d'une demoiselle de magasin, qui le trompe. La jalousie révolte sa nature orgueilleuse (*L'Adolescent*). Christophe fait des expériences désabusées sur la méchanceté des petites villes : le grand-duc qui le protégeait le chasse; une société orchestrale travestit un de ses poèmes symphoniques; des lettres anonymes le criblent d'accusations mensongères. Un arrêt est lancé contre lui; il quitte son pays (*La Révolte*). Il se réfugie à Paris, mais il est écœuré par le désordre d'une société où règne partout l'individualisme; où la musique est archaïque, la littérature immorale, la politique égoïste et tyrannique

(*La Foire sur la Place*). Pourtant, Christophe s'est pris d'affection pour un jeune intellectuel timide et tendre, Olivier Jeannin. Ce dernier a vécu jusque-là auprès de sa sœur, Antoinette, qui, pour assurer son avenir, s'est vouée à une vie de sacrifice (*Antoinette*). Christophe habite à Montparnasse avec Olivier qui lui révèle la vie profonde de la France, pays du travail et de l'héroïsme, sous une apparente frivolité (*Dans la Maison*). Il acquiert enfin la célébrité, mais Olivier se marie et Christophe a de la peine à vivre sans son ami. Il a une liaison avec une pianiste, devient le confident, puis l'amant d'une actrice. Cependant la femme d'Olivier a quitté son foyer (*Les Amies*). Désespéré, Olivier fait le don de sa vie à une noble cause : il est tué au cours d'une émeute, un premier mai; Christophe, anéanti, se réfugie en Suisse chez des protestants, les Braun. Anna Braun, qui cache sous son puritanisme une âme frénétique, se donne à lui; Christophe est désespéré à l'idée d'avoir trompé un ami. Mais bientôt, le feu créateur renaît et brûle en lui (*Le Buisson ardent*). Au terme d'une carrière mouvementée, Jean-Christophe, qui a toujours trouvé un refuge dans la divine musique, goûte la sérénité. Il meurt en évoquant son Rhin natal, le grand fleuve auguste et paternel, le confident de ses pensées d'enfant (*La Nouvelle Journée*).

3. — L'ART D'ANATOLE FRANCE

Anatole France, partisan de l'émancipation dans tous les domaines de la pensée, est conservateur en matière d'art. Clarté, ironie et sensibilité caractérisent le style de cet écrivain, qui est proposé en modèle dans tous les pays où s'enseigne la langue française.

CLARTÉ — Anatole France pense que seule une forme simple permet à un écrivain de passer à la postérité : « Un bon style est comme un rayon de lumière qui entre par ma fenêtre au moment où j'écris et qui doit sa clarté pure à l'union intime des sept couleurs dont il est composé. Le style simple est semblable à la clarté blanche, il est complexe, mais il n'y paraît pas. » (*Le Jardin d'Épicure.*) La phrase d'Anatole France ne se fait remarquer ni par la hardiesse de la structure, ni par l'originalité du vocabulaire, ni par la recherche de l'effet ; allègre, vers son but comme une eau limpide, mais cette limpidité n'exclut ni la profondeur ni l'éclat.

IRONIE — Le scepticisme d'Anatole France se plaît aux jeux savants de l'ironie. Celle-ci naît parfois d'un rapprochement ou d'un contraste burlesque ; ainsi, l'écrivain prête au chien Riquet des propos semblables à ceux des savants présomptueux qui proclament la royauté de l'homme dans l'univers : « Je suis toujours au milieu de tout, et les hommes et les animaux et les choses sont rangés, hostiles ou favorables, autour de moi ». France excelle aussi, comme Voltaire, à faire jaillir brusquement, chez un être, une contradiction qui rend sa conduite ridicule ou odieuse : Évariste Gamelin, emporté par son zèle jacobin, immole ses anciens amis « pour que demain tous les Français s'embrassent de joie ». Comme Voltaire encore, il atteint au comique par une disconvenance volontaire entre la pensée et son expression ; dans *Le Crime de Sylvestre Bonnard*, par exemple, le héros s'adresse à son chat sur un ton solennel : « Dans cette bibliothèque silencieuse que protègent des vertus militaires, Hamilcar, dors avec la mollesse d'une sultane ! Car tu réunis en ta personne l'aspect formidable d'un guerrier tartare à la grâce appesantie d'une femme d'Orient. » Cette ironie d'humaniste n'est pas cruelle, mais douce et bienveillante : elle ne raille ni l'amour ni la beauté. (*Le Jardin d'Épicure.*) A l'ironie qui, « en souriant, nous rend la vie aimable », Anatole France associe souvent celle qui, « en pleurant, nous la rend sacrée ».

SENSIBILITÉ — Chaque fois que l'écrivain se laisse aller à ses sentiments de sympathie pour la misère humaine, son style, d'ordinaire si uni, s'anime et s'échauffe : il évoque avec un frémissement secret, dans *Crainquebille*, ces épaves que l'on rencontre dans les quartiers populaires des grandes villes et qu'un régime humain ne devrait pas abandonner à leur destin lamentable. La sympathie de France s'étend d'ailleurs à la nature tout entière : le vent qui gémit dans l'âtre lui semble « triste et las et tourmenté d'une angoisse indicible » ; le ciel de Paris « sourit, caresse, s'attriste et s'égaie comme un regard humain ».

III. — ÉVASION ET AVENTURE

A. — PIERRE LOTI (1850-1923)

LA CARRIÈRE DE LOTI

Julien Viaud a raconté dans plusieurs livres de souvenirs (*Le Roman d'un Enfant*, 1890, *Prime Jeunesse*, 1919; *Un jeune Officier pauvre*, 1923) ses premières années à Rochefort, où sa mère l'éleva « comme une petite fleur rare de serre chaude »; son adolescence fascinée par le prestige d'un frère chirurgien de la marine; puis l'éveil de sa vocation maritime, la préparation de l'École Navale au lycée Henri-IV, le séjour sur le navire-école *Le Borda* et les premières croisières.

À Tahiti, qu'il découvre avec enchantement, une jeune indigène lui donne le nom de Loti, qu'il adopte; en Turquie, il rencontre une musulmane, dont il se sépare avec déchirement; ces aventures revivent, la seconde dans *Aziyadé* (1879), la première dans *Rarahu, idylle polynésienne* (1880), qui deviendra *Le Mariage de Loti* (1882). L'imagination joue un plus grand rôle dans *Mon frère Yves* (1883), dans *Pêcheur d'Islande* (1886), deux drames poignants qui ont pour héros des marins bretons, et plus tard dans *Ramuntcho* (1897), une histoire d'amour qui se déroule en pays basque. Presque toujours, cependant, Loti se borne à transposer ses impressions d'éternel errant : l'intrigue ténue de *Madame Chrysanthème* (1887) se déroule au Japon; celle des *Désenchantées* (1906) ramènera le lecteur dans le cadre turc du premier roman. Vers la fin de sa vie, d'ailleurs, l'écrivain adopte de préférence le genre nu du récit de voyages : il évoque la Palestine, la Chine, l'Arabie, l'Inde, la Perse, l'Égypte (*La Mort de Philae*, 1909). Il prend sa retraite en 1910, comme capitaine de vaisseau.

¶ *Pêcheur d'Islande.*

Yann, un jeune paimpolais, pêche dans les eaux d'Islande avec Sylvestre, le fiancé de sa sœur et trois autres compagnons. À Paimpol, une jeune fille, Gaud, languit de son absence, car elle aime Yann, par fausse honte, évite Gaud; celui-ci, cependant, qui est parti tous les ans, est tué en Chine et laisse une grand-mère misérable; Gaud vient habiter auprès d'elle. Yann reparaît, enfin décidé à épouser Gaud, mais il doit repartir pour l'Islande et périt en mer.

LE DRAME DE LOTI

Loti a décrit les réactions fragiles d'une âme qui a cherché en vain dans toutes les régions du globe un remède à sa mélancolie profonde. Il a subi l'envoûtement des paysages exotiques; il a aimé la simplicité des civilisations primitives; il a rêvé de se fixer dans quelque paradis terrestre. Jamais, pourtant, il ne parvint à étreindre un bonheur stable; partout l'ont poursuivi la hantise de la mort et le sentiment de l'universelle illusion. Romanesque attardé, Loti, par son désenchantement, fait songer à l'auteur de *René*, auquel il s'apparente aussi par son art : sa phrase est moins somptueuse, mais plus naturelle que celle de Chateaubriand, mais reflète heureusement, dans son harmonie un peu molle, la poésie des lointains horizons et le charme toujours vain d'un rêve intérieur.

LE CHÂTEAU
Illustration de Pierre Gandon pour *Le Grand Meaulnes*.
(Éditions de Cluny)
Le héros du Grand Meaulnes *s'est aventuré dans la campagne jusqu'aux abords d'un domaine mystérieux. Il se risque à y pénétrer. C'est la demeure d'Yvonne de Galais, dont il s'éprendra.*

B. — ALAIN-FOURNIER ET VALÉRY LARBAUD

**ALAIN-FOURNIER
(1886-1914)**
Alain-Fournier, né à la Chapelle d'Angillon, dans le Cher, est fils d'instituteurs. Après le baccalauréat, il prépare au lycée Lakanal le concours de l'École Normale Supérieure. Sa vingtième année est illuminée par la rencontre d'une jeune fille qu'il ne put épouser, mais qu'il n'oublia jamais. En 1913, il publie *Le Grand Meaulnes*, son unique roman. Il est tué en septembre 1914, près des Éparges, à la tête d'une section d'infanterie. L'ardeur de ses préoccupations intellectuelles, sentimentales et spirituelles revit dans sa correspondance avec Jacques Rivière, son condisciple, puis son beau-frère.

Alain-Fournier transpose dans « Le Grand Meaulnes » les souvenirs de son enfance, de son adolescence et de sa brève idylle. Comme Gérard de Nerval dans *Sylvie,* il mêle aux notations réalistes une poésie née de son expérience intérieure. Il donne une forme à d'anciens rêves, décrit les séductions de l'aventure, la ferveur du premier amour; il laisse aussi entrevoir les déceptions qu'apporte la vie et suggère qu'il est impossible à l'homme de préserver l'idéal imaginé dans l'élan de la prime jeunesse : « Le héros de mon livre est un homme dont l'enfance fut trop belle. Pendant toute son adolescence, il la traîne après lui. Par instants, il semble que tout ce paradis imaginaire qui fut le monde de son enfance va surgir... Mais il sait déjà que ce paradis ne peut plus être. Il a renoncé au bonheur. » (*Lettre à Jacques Rivière,* 4 avril 1910.)

**VALÉRY LARBAUD
(1882-1957)**
Valéry Larbaud, né à Vichy, passe sa jeunesse à parcourir le monde. En 1908, il publie, sans nom d'auteur, des poèmes disposés en versets où il a fixé ses impressions de voyageur. Son premier roman, *Fermina Marquez* (1911), conte l'histoire d'une jeune colombienne exaltée. Son œuvre la plus célèbre, le *Journal d'A. O. Barnabooth* (1913), a pour héros un milliardaire péruvien qui, souffrant de son isolement, vend ses terres et voyage à travers l'Europe en quête d'une raison de vivre, puis, déçu, regagne son pays et prend pour compagne une jeune fille du terroir : cette curieuse histoire d'un globe-trotter, où se mêlent les influences de Baudelaire, de Barrès et de Gide, décrit quelques aspects de l'inquiétude moderne.

Valéry Larbaud a voyagé à travers les livres comme à travers les continents. Lecteur infatigable, essayiste lucide, traducteur ingénieux de Joyce et de Whitman, il a contribué à élargir l'horizon de ses contemporains. Son style, plein d'aisance et de grâce, révèle un artiste qui surtout considère la littérature comme une récréation voluptueuse de l'intelligence.

OUVRAGES A CONSULTER

A. THIBAUDET. *La Vie de Maurice Barrès* (Gallimard, 1921). — P. MOREAU. *Maurice Barrès* (Sagittaire, 1941). — CH. BRAIBANT. *Le Secret d'Anatole France* (Denoël, 1935). — CH. SÉNÉCHAL. *Romain Rolland* (La Caravelle, 1933).

N. SERBAN. *Pierre Loti, sa Vie et son Œuvre* (Les Presses françaises, 1924). — *Correspondance d'Alain-Fournier et de Jacques Rivière,* 4 vol. (Gallimard, 1926-28).

CHAPITRE II

LA POÉSIE

Photo Vizzavona.
CHARLES PÉGUY.

Portrait par Pierre Laurens (fragment).

L E mouvement symboliste a survécu aux dissensions internes et aux assauts de l'école romane; mais il s'assagit, comme en témoignent les poèmes d'Albert Samain ou d'Henri de Régnier. Au symbolisme encore se rattachent les œuvres de deux écrivains belges, Émile Verhaeren et Maurice Maeterlinck. Cependant, la Comtesse de Noailles, Paul Fort, retrouvent en eux, hors de toute école, l'élan du lyrisme romantique.

À côté des courants traditionnels apparaissent des courants nouveaux. Les mouvements poétiques foisonnent, tous en quête de formules inédites : ainsi le mouvement naturiste, fondé par Saint-Georges de Bouhélier et Eugène Montfort; le mouvement unanimiste, illustré par Jules Romains; le mouvement fantaisiste, animé par P.-J. Toulet. Le novateur le plus brillamment doué est Guillaume Apollinaire.

Enfin, trois grands poètes, Francis Jammes, Charles Péguy, Paul Claudel, marquent le renouveau du lyrisme chrétien.

DATES ESSENTIELLES

1897. — Manifeste naturiste.
1897. — Henri de Régnier : Les Jeux rustiques et divins.
1901. Anna de Noailles : Le Cœur innombrable.
1908. Jules Romains : La Vie unanime.
1910. Paul Claudel : Cinq grandes Odes.
1910-1913. Charles Péguy : Mystères.
1912. Francis Jammes : Les Géorgiques chrétiennes.
1912-1914. Charles Péguy : Tapisseries.
1913. Guillaume Apollinaire : Alcools.
1921. — P.-J. Toulet : Contrerimes (posthume).

le noir couchant, ne diffèrent pas tant de la pauvre masure mystique des Baillard debout, là en bas, sous ses yeux : la fin de la phrase, hachée et volontairement prosaïque, donne la sensation d'une chute et contraste avec le rythme majestueux du début. Ni Faust, ni Manfred, ni Prospero n'eussent été Baillard pour rendre quelque chose de solide; Barrès traduit par une dernière vision — vision étrange, de rêve ou de cauchemar, mais d'une grande puissance de suggestion — le contraste entre l'ardeur de leurs recherches *(ce sont des châteaux de feu)* leur accord éphémère avec la vie mystérieuse *(des châteaux de musique)* et l'inanité du résultat final *(autant d'artifices qui se résolvent en baguettes brûlées dans la nuit).*

Conclusion. — Cette grave méditation est révélatrice des deux tendances qui ont partagé Barrès : il y a chez lui un enthousiaste à l'âme romantique, épris de lyrisme et de liberté, mais aussi un homme de race, appuyé sur le respect de la tradition, qui cherche une règle de vie. Barrès maintient le dialogue entre les forces de liberté et les forces de discipline, entre la « Prairie » et la « Chapelle »; car, s'il condamne l'enthousiasme qui n'est qu'un élan individuel et déréglé, il approuve l'union harmonieuse de « l'esprit qui palpite aux sources » et de la discipline la plus régulière de Versailles ou dans le charme vaporeux de la peinture de Watteau.

Le style de ce morceau reflète l'âme double de son auteur : style parfois rapide, abstrait et quelque peu didactique (deuxième paragraphe); plus souvent ample et imagé, d'un lyrisme ardent ou désenchanté, sensible à la magie des mots harmonieux (premier et troisième paragraphes).

LE NÉO-SYMBOLISME ET LE NÉO-ROMANTISME

ALBERT SAMAIN
(1858-1900)

Albert Samain, modeste employé à l'Hôtel de ville de Paris, révèle ses premiers vers à des cénacles décadents. En 1893, il publie *Au Jardin de l'Infante,* un recueil de poèmes à la fois discret et très personnel où s'épanche la tristesse inquiète d'une âme solitaire. *Aux Flancs du vase* (1898) ... *Le Chariot d'Or* (1901), ...

HENRI DE RÉGNIER
(1864-1935)

... sa famille fière de ses origines aristocratiques. A vingt ans, il s'oriente vers la diplomatie; mais la littérature l'accapare bientôt. Romancier et conteur délicat, il survit principalement comme poète, grâce à l'harmonieuse perfection de son art.

Henri de Régnier sut assouplir son talent aux modes poétiques de sa génération. Ses premiers recueils, *Lendemains* (1885), *Apaisements* (1886), *Sites* (1887), accusent les influences de Vigny, de Victor Hugo, de Sully Prudhomme. C'est à partir de ... de sa ... Poèmes ... *Les Jeux rustiques et* ... (1897) ... *Les Médailles d'Argile* (1900) sont dédiés à André Chénier et à Anatole France. La ... France *Eaux* (1902) ... ... (1906-1910), *Vestigia flammae* (1920), sont d'un lyrisme ... de Régnier ... Le s... d'abord n'a pas un ... de grandeur ... immédiat, emprunte à l'antiquité grecque ... de ses images. Avec sa distinction ...

Si tu veux être heureux, ne cueille pas la rose
Qui ... rose au passage et qui s'offre à ta main;
La fleur est déjà morte à peine est-elle éclose,
Même lorsque sa chair révèle un sang divin.

(*Vestigia flammae.*)

◆ SUJETS DE COMPOSITION FRANÇAISE ◆

1. La réaction contre le naturalisme dans le roman français au début du XXe siècle.

2. Commenter cette déclaration de Maurice Barrès : « La terre nous donne une discipline et nous sommes les prolongements des ancêtres. »

3. Commenter ce jugement de M. Marcel Girard : « Dans quelque direction qu'on aille, on trouve Barrès comme stimulant et comme réactif. »

4. ... d'Anatole France : « En lui l'intelligence est sceptique, ... » Justifier cette opinion.

5. On a dit d'Anatole France que, révolutionnaire en théorie sociale, il ... à la liberté. Puis ... esthétique ... Commenter ce jugement.

6. M. Georges Duhamel a dit, dans un discours prononcé à la Sorbonne, lors du centième anniversaire de la naissance d'Anatole France ... Justifier cette opinion.

7. Expliquer et apprécier cette opinion de Romain Rolland : « L'inquiétude d'esprit n'est pas un signe de grandeur. »

8. Apprécier cette opinion récente sur Pierre Loti : « La génération sentimentale a disparu qui aimait en Pierre Loti l'écho magnifié de ses mélancolies et de ses doutes. Mais notre temps apprend à reconnaître en l'auteur de *Pêcheur d'Islande* des mérites éminents et définitifs que *la belle époque* soupçonnait seulement. »

ÉMILE VERHAEREN
(1855-1916)

Le poète flamand Émile Verhaeren laisse une œuvre puissante et variée. Dans ses vers de jeunesse, il peint avec exactitude et relief des scènes ou des paysages de sa province natale (*Les Flamandes*, 1883) ou décrit le calme bonheur de l'existence monastique (*Les Moines*, 1886). Après une crise de désespoir dont les épisodes pathétiques sont fixés dans *Les Soirs* (1887), *Les Débâcles* (1888), *Les Flambeaux noirs* (1890), il découvre une raison de vivre dans les joies de l'action. Il publie une trilogie socialiste (*Les Campagnes hallucinées*, 1893; *Les Villages illusoires*, 1895; *Les Villes tentaculaires*, 1895) où, à la tristesse des campagnes délaissées, s'oppose la fièvre des cités industrielles. Il devient le poète de la ferveur, du mouvement, de l'énergie (*Les Forces tumultueuses*, 1902; *La Multiple Splendeur*, 1906; *Les Rythmes souverains*, 1910). Il conserve pourtant une tendresse profonde pour les beautés du pays flamand (*Toute la Flandre*, 1904-1911) et trouve de purs accents pour célébrer la douceur de l'amour conjugal (*Les Heures claires*, 1896; *Les Heures d'Après-Midi*, 1905; *Les Heures du Soir*, 1911).

Verhaeren, comme Henri de Régnier, recourt à des symboles immédiatement intelligibles : Saint-Georges, sur son cheval et armé de sa lance, incarne l'appel de l'action; le passeur d'eau qui, « un roseau entre ses dents », lutte vainement pour atteindre l'autre rive figure l'homme qui conserve à travers les épreuves une foi intacte en un idéal inaccessible. *Il pratique couramment le vers libre;* mais il remplace la rime par d'autres procédés, comme l'assonance ou l'allitération, qu'il impose avec une insistance obsédante. Sa période lyrique est le plus souvent rude, heurtée, volontaire : le poète recherche les verbes expressifs (voici le vent *cornant* Novembre), martèle les mots (*lassé* des mots, *lassé* des livres), use et abuse des reprises oratoires.

MAURICE MAETERLINCK
(1862-1949)

Maurice Maeterlinck est un écrivain flamand comme Émile Verhaeren. Il débute en littérature par un volume de vers, *Serres chaudes* (1889), que suivent *Douze Chansons* (1897). Il obtient des effets poignants grâce à des associations de mots, des reprises de tours, des assonances; il rappelle Verlaine, avec moins de discrétion dans l'art. Ses poèmes créent l'impression d'une fatalité qui pèse sur les hommes.

Maeterlinck, cependant, s'est aussi rendu célèbre par ses ouvrages philosophiques et dramatiques. Philosophe, il réfléchit avec gravité sur le thème du destin et compose, dans une langue un peu molle, mais pure et harmonieuse, des essais d'une intelligence lucide, d'une inspiration morale élevée (*Le Trésor des Humbles*, 1896; *La Sagesse et la Destinée*, 1898); résigné au mal inévitable, il puise une sorte d'optimisme dans la clarté de sa vision et dans sa tendresse fraternelle pour les hommes. Auteur dramatique, il compose une délicieuse féerie sur le thème du bonheur, *L'Oiseau bleu* (1909) et des drames baignés de mystère où des personnages victimes d'un sort cruel expriment avec une simplicité nue les souffrances de leur âme torturée (*Pelléas et Mélisande*, 1892).

ANNA DE NOAILLES
(1876-1933)

Orientale par ses origines, Anna de Brancovan est née à Paris et elle adopta la France pour seconde patrie, avant même son mariage avec le comte Mathieu de Noailles. Dans *Le Cœur innombrable* (1901), *L'Ombre des jours* (1902), *Les Éblouissements* (1907), elle chante surtout la beauté de la vie, l'ardeur de la jeunesse, l'amour de la nature, la splendeur des pays ensoleillés; mais elle songe aussi à la brièveté des jours heureux et à la fragilité de toute créature : l'inquiétude, alors, succède à l'exaltation. Meurtrie bientôt par la perte d'un être cher, elle épanche, dans *Les Vivants et les Morts* (1913), sa détresse ou son amertume. La souffrance, désormais, fait partie de son univers : dans les recueils de la maturité, *Les Forces éternelles* (1920), *L'Honneur de souffrir* (1927), les élans de passion ou de joie font souvent place à une résignation mélancolique.

La Comtesse de Noailles a fait revivre avec une pathétique sincérité les grands thèmes du lyrisme romantique. Elle émeut par son goût païen des joies terrestres, si fréquemment associé à l'image de la mort ou à la pensée du destin. Elle traduit sa ferveur en accents d'une simplicité ingénue, qui dédaigne un peu trop les contraintes de l'art :

> O bleu soleil épars que tout l'espace incline,
> Entre, glisse, bondis, coule sans discipline
> Dans mes bras entr'ouverts comme un temple, descends
> Sur mes genoux baignés de lotus et d'encens,
> Dans mon âme éblouie, odorante, laquée.
> Entre, mon cher soleil, dans ta blanche mosquée!
>
> (*Les Éblouissements.*)

PAUL FORT
(né en 1872)

Le champenois Paul Fort a tenu, dès l'âge de dix-huit ans, un rôle important dans l'avant-garde littéraire en créant le Théâtre d'Art; et il a fondé, en 1905, une revue de tendances néo-symbolistes, *Vers et Prose*. Lui-même, cependant, doit peu au symbolisme : sa poésie renoue avec un lyrisme plus large, plus clair, nourri de sève populaire. Sous le titre collectif *Ballades françaises*, il a publié, depuis 1897, une cinquantaine de recueils, où sont rassemblés des poèmes d'une très grande diversité d'inspiration et de forme.

Poète national et folklorique, Paul Fort a chanté les provinces françaises, leurs légendes, leurs traditions, leurs richesses, leur charme, associant avec bonne humeur aux souvenirs du passé les fraîches impressions qu'ont éveillées ses voyages ou ses promenades. *Poète lyrique et sentimental, il a célébré surtout l'amour, l'enthousiasme, la fraternité humaine.* Il est capable de traduire des émotions profondes et graves; mais il aime aussi s'abandonner à la fantaisie d'une verve malicieuse et folâtre, qui se renouvelle sans cesse.

Paul Fort est, en outre, un métricien original. Afin de « marquer la supériorité du rythme sur l'artifice de la prosodie », il s'exprime, non en vers, mais en une prose régulièrement cadencée, qui, d'ailleurs, dans sa liberté apparente, respecte la structure et l'allure de l'alexandrin : « Suis-je Bacchus ou Pan? je m'enivre d'espace; et j'apaise ma fièvre à la fraîcheur des nuits. La bouche ouverte au ciel où grelottent les astres, que le ciel coule en moi. Que je me fonde en lui. »

II. — COURANTS NOUVEAUX

A. — LE FOISONNEMENT DES ÉCOLES

LE MOUVEMENT NATURISTE — Les principaux initiateurs du naturisme sont Saint-Georges de Bouhélier et Eugène Montfort; le manifeste du mouvement paraît dans *Le Figaro*, le 10 janvier 1897. Les poètes « naturistes » condamnent à la fois la froideur du Parnasse et les subtilités alanguies du symbolisme; ils voudraient être à l'origine d'une renaissance lyrique et s'appliquent à retrouver l'élan d'une inspiration saine et vigoureuse : ils célèbrent la Vie, la Nature, l'Amour, le Travail, l'Héroïsme. Ils ne sont pas parvenus à s'imposer; mais ils ont contribué à donner le goût d'une ferveur qui s'exprime, en marge de l'école, chez Anna de Noailles, chez Francis Jammes ou dans *Les Nourritures terrestres* d'André Gide.

LE MOUVEMENT UNANIMISTE — L'unanimisme a été propagé par un groupe de poètes et d'artistes qui, en 1906, avaient fondé une sorte de phalanstère à Créteil, sur la Marne, dans le domaine dit de l'Abbaye : Georges Duhamel, Charles Vildrac, René Arcos étaient les animateurs de cette société fraternelle, qui tenta d'assurer son indépendance en fondant une imprimerie. En 1908, « les éditions de l'Abbaye » publièrent *La Vie unanime*, de Jules Romains, alors élève de l'École Normale Supérieure : dans ce recueil en vers assonancés, d'une inspiration à la fois généreuse et concertée, le jeune poète se proposait, non plus d'exprimer à la façon des romantiques ou des symbolistes les émois d'un être individuel, mais de rendre sensible l'existence d'un être collectif, foule, ville, nation ou continent : « Nous éprouvons un sentiment religieux devant la vie qui nous entoure et qui nous dépasse. Nous voulons traduire ce sentiment par une poésie immédiate. » A l'exemple de Jules Romains, les poètes unanimistes ont exalté les vertus d'accueil, de solidarité, de compréhension mutuelle, qui élèvent l'homme au-dessus de lui-même et qui le mettent en contact avec la réalité universelle.

LE GROUPE FANTAISISTE — Les poètes « fantaisistes », Paul-Jean Toulet, Tristan Klingsor, Jacques Dyssord, puis Francis Carco, Jean Pellerin, Tristan Derême, Jean-Marc Bernard, dénoncent d'un commun accord l'emphase, l'artifice, le fatras, qui, chez trop de poètes néo-romantiques ou néo-symbolistes, ruinent toute sincérité d'inspiration. Ils cultivent la verve nonchalante ou gouailleuse, l'ironie légère, l'émotion pudique. Les désinvoltes et strictes *Contrerimes* de Toulet, publiées après sa mort en 1921, sont sans doute le chef-d'œuvre de cette école. Les chansons à boire de Raoul Ponchon, les fables et les pochades de Franc-Nohain, les parodies et les jeux acrobatiques de Georges Fourest, se rattachent à la veine fantaisiste, qui inspire parfois aussi Guillaume Apollinaire.

B. — GUILLAUME APOLLINAIRE (1880-1918)

G UILLAUME APOLLINAIRE *a participé à tous les mouvements d'avant-garde de
sa génération; ses deux principaux recueils poétiques témoignent de son
audace, mais aussi de sa ferveur lyrique.*

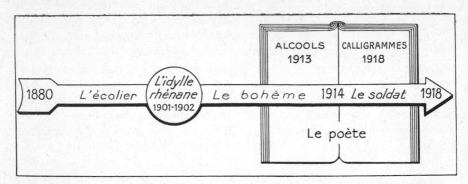

L'ÉCOLIER   Guillaume Apollinaire (Wilhelm Apollinaris de Kostro-
witzki), né à Rome le 26 août 1880, est le fils d'une polonaise
exilée et d'un officier italien. Il fait de bonnes études au collège Saint-Charles
de Monaco. Il se lie d'amitié avec l'un de ses condisciples, René Dupuis, qui
demeurera son compagnon et qui deviendra, lui aussi, un poète sous le nom
de René Dalize. Il témoigne, par crises, d'une vive ferveur religieuse, mais
révèle aussi l'indépendance de son caractère en rédigeant, avec quelques
camarades, un journal anarchisant, *Le Vengeur.*

**L'IDYLLE
RHÉNANE**   En 1901, Guillaume Apollinaire, qui vit à Paris depuis
deux ans, devient le précepteur de Mlle Gabrielle de Milhau,
dont le père possède des propriétés en Rhénanie. Avec la
famille de son élève, il séjourne à Neu-Glück, dans la plaine de Cologne, et
aussi à Munich; il voyage à travers l'Allemagne, l'Autriche et la Bohème.
Quelques-uns de ses premiers vers évoquent le pays rhénan, avec ses « sapins en
bonnets pointus » et ses nostalgiques légendes. Il devient amoureux d'une
jeune anglaise, Annie, qui est attachée, elle aussi, au service des Milhau,
comme gouvernante. Mais lorsqu'il se rend à Londres pour la demander en
mariage, il est fort mal accueilli par les parents de la jeune fille et se voit
opposer un refus; bientôt, Annie part pour l'Amérique. La déception de cette
aventure retentit profondément sur sa sensibilité et lui inspire, en 1903,
la célèbre *Chanson du Mal Aimé* :

Mon beau navire ô ma mémoire
Avons-nous assez navigué
Dans une onde mauvaise à boire
Avons-nous assez divagué
De la belle aube au triste soir

Adieu faux amour confondu
Avec la femme qui s'éloigne
Avec celle que j'ai perdue
L'année dernière en Allemagne
Et que je ne reverrai plus

LE BOHÊME   Revenu à Paris, Guillaume Apollinaire prend part aux réu-
nions d'un petit groupe de poètes (parmi eux André Salmon,
J.-P. Toulet, Léon-Paul Fargue) qui tiennent leurs assises au caveau du
Soleil d'Or, quai Saint-Michel; il fréquente aussi la Closerie des Lilas,
où règnent Paul Fort et Moréas; il devient le rédacteur en chef d'une
revue, *Le Festin d'Ésope*, qui disparaît au bout de quelques mois. Il se lie
avec de jeunes peintres, Vlaminck, Derain, puis Picasso, qui lui fait connaître
le poète Max Jacob. Sa gaieté, son rayonnement, sa chaleur humaine, lui
valent une sympathie unanime. Il participe à tous les mouvements d'avant-
garde, voit naître le fauvisme, impose au public l'art naïf du douanier Rousseau, élabore avec Picasso l'esthétique cubiste et s'enthousiasme pour la
sculpture nègre. En 1909 paraît son premier volume, illustré par Derain,
L'Enchanteur pourrissant, où dialoguent en une étrange prose poétique Merlin
et la fée Viviane; l'année suivante, il réunit, sous le titre *L'Hérésiarque et Cie*,
des contes d'une verve puissante; et en 1911, les précieux quatrains d'un
Bestiaire illustré par Dufy révèlent à la fois la hardiesse de son symbolisme
et la délicatesse de son goût. Toutefois, c'est un autre recueil plus ample et
plus varié qui, en 1913, consacre son talent de poète; le titre, *Alcools*, exprime
son éternelle soif d'une vie ardente :

> Et tu bois cet alcool brûlant comme ta vie
> Ta vie que tu bois comme une eau-de-vie
>
> *(Zone.)*

LE SOLDAT   Lorsque la guerre éclate, Guillaume Apollinaire s'engage.
A Nîmes, où il a rejoint un dépôt d'artillerie, il rencontre
« Lou », une jeune femme dont la coquetterie le fera beaucoup souffrir. Il
est envoyé au front, sur sa demande, en avril 1915. Bientôt versé dans
l'infanterie et nommé sous-lieutenant, il est blessé dans une tranchée, le
17 mars 1916, d'un éclat d'obus à la tête. Trépané, réformé, il rentre à Paris.
Il compose, sur le thème de la repopulation, un « drame surréaliste », *Les
Mamelles de Tirésias*; il conte avec un sombre humour, dans *Le Poète assassiné*,
la symbolique histoire d'un génie incompris, Croniamontal, qui, victime d'une
maîtresse ingrate et d'un siècle absurde, meurt lapidé par la populace; il
cherche à fixer dans une conférence-manifeste, *L'Esprit nouveau*, la charte de
l'art moderne. En 1918 paraît un nouveau recueil de poèmes, *Calligrammes*,
qui contient de nombreuses pièces nées de la guerre ou de sa passion pour
Lou; quelques-unes de ces pièces sont en même temps des dessins, des
« calligrammes », et suggèrent par une disposition typographique originale
l'objet ou le thème qui les inspire : ainsi le poème intitulé *Il pleut* s'étale du
haut en bas de la page en traînées obliques et sensiblement parallèles
comme des traînées de pluie. Mais la maladie interrompt ces audacieuses
recherches esthétiques : Apollinaire, mal remis de sa blessure, ne résiste pas
à l'épidémie de grippe espagnole et meurt l'avant-veille de l'armistice. Un
certain nombre de poèmes à Lou demeurés pour la plupart inédits ont été
récemment rassemblés en un dernier recueil, *Ombre de mon amour* (1947).

**LE GÉNIE
D'APOLLINAIRE**   Guillaume Apollinaire a contribué, par ses audacieuses tentatives, à orienter la poésie française vers des
voies inexplorées et annonce en particulier le mouvement
surréaliste; mais ses œuvres les plus émouvantes sont celles où s'épanche, sous
une forme incantatoire, une sensibilité douloureuse.

Le novateur. — *Guillaume Apollinaire a voulu rénover l'expression poétique.*
Le poème calligramme n'est pas sa seule trouvaille. Il a tenté aussi, par exemple
dans *Zone*, la première pièce d'*Alcools*, d'appliquer à la poésie, grâce à une
juxtaposition chaotique de motifs disparates, l'esthétique du cubisme. Il s'est
efforcé de transcrire, dans leur confusion et dans leur spontanéité hasardeuse,
les propos entendus au café ou en quelque autre lieu public. D'une manière
plus générale, il a cherché des associations hardies, des images insolites, qui,
en faisant violence à l'esprit du lecteur, engendrent la surprise ou l'émer-
veillement :

> Mon verre s'est brisé comme un éclat de rire
> (*Nuit rhénane.*)

Le romantique. — *Malgré ce parti pris moderniste, Apollinaire semble
avoir hérité de la tradition romantique le goût d'une poésie intime où résonne l'écho
de son tourment secret.* Éternel « mal-aimé », il a connu la mélancolie d'une solitude incomprise et aspiré à une impossible évasion; sa plainte nostalgique
s'exprime parfois en accents d'une harmonie mystérieuse et d'une transparente
pureté :

> Voie lactée ô sœur lumineuse
> Des blancs ruisseaux de Chanaan
> Et des corps blancs des amoureuses
> Nageurs morts suivrons-nous d'ahan
> Ton cours vers d'autres nébuleuses.
> (*La Chanson du Mal-Aimé.*)

> J'ai cueilli ce brin de bruyère
> L'automne est morte souviens-t'en
> Nous ne nous verrons plus sur terre
> Odeur du temps brin de bruyère
> Et souviens-toi que je t'attends.
> (*L'Adieu.*)

**AUTOUR
D'APOLLINAIRE**   Compagnons d'Apollinaire, Max Jacob, Blaise Cendrars,
ont entrepris, eux aussi, de fécondes recherches et
méritent une place à ses côtés parmi les pionniers de la
poésie contemporaine.

Max Jacob (1876-1944). — Max Jacob, un israélite qui devait se convertir
au catholicisme, a juxtaposé, dans ses œuvres, la naïveté et le raffinement, la
simplicité populaire et la verve baroque. Un recueil de poèmes en prose, *Le
Cornet à dés* (1917), le rendit célèbre : la fantaisie, l'invention verbale, l'originalité parfois provocante, s'y donnent libre cours.

Blaise Cendrars (né en 1887). — Blaise Cendrars, né à Neuchâtel et
parisien d'adoption, a beaucoup erré à travers le monde. Au hasard de son
existence mouvementée, il a composé, sans prétention, de nombreux « poèmes
de circonstance », où foisonnent les impressions neuves et notées sur le vif. Il a
donné à Guillaume Apollinaire et aux écrivains surréalistes l'exemple d'une
poésie sans ponctuation, dont la liberté d'allure garantit l'authenticité.

Photo Galerie Louise Leiris.

LA FEMME A LA MANDOLINE.
Tableau de Picasso (1909).

Ce portrait appartient à la période cubiste du peintre. Vers 1909, les relations entre Picasso et Apollinaire étaient étroites. Apollinaire subit l'influence de Picasso. Comme les peintres cubistes ont réagi contre l'impressionnisme en imitant la netteté des figures géométriques, il a tenté, dans certains poèmes, de substituer aux suggestions vaporeuses du néo-symbolisme une reconstruction linéaire de la réalité. En 1913, il consacrera aux peintres cubistes, Picasso, Braque, Juan Gris, une étude historique et critique.

III. — LE LYRISME CHRÉTIEN

A. — FRANCIS JAMMES (1868-1938)

LES LOISIRS DU PROVINCIAL Le béarnais Francis Jammes n'a guère quitté le pays natal : après avoir achevé ses études secondaires au lycée de Bordeaux, il s'est fixé à Orthez, où il vécut trente ans, puis à Hasparren, dans le pays basque, où il devait mourir.

Deux recueils, *De l'Angélus de l'Aube à l'Angélus du Soir* (1898) et *Le Deuil des Primevères* (1900), fondèrent sa réputation de poète paysan, attentif aux menus aspects de la vie rustique. On s'émut aussi à la lecture de ses nouvelles en prose, *Clara d'Ellébeuse* (1899), *Almaïde d'Etremont* (1901), où vivent et meurent d'exquises jeunes filles, aux charmes surannés comme leurs noms.

En 1906, Francis Jammes, déjà chrétien de cœur, fait publiquement profession de catholicisme. Dans un nouveau recueil, *Clairières du Ciel*, sa poésie, tout en demeurant familière, revêt, par endroits, plus d'ampleur et de gravité. L'inspiration religieuse et l'inspiration rustique se rejoignent enfin dans ses *Géorgiques chrétiennes* (1912), épopée didactique où la campagne apparaît comme un asile béni d'innocence et de vertu.

L'ORIGINALITÉ DU POÈTE *Francis Jammes donne une existence poétique au décor banal et aux humbles compagnons de sa vie.* Dans la salle à manger familiale, l'antique armoire, le coucou sans voix, le buffet à l'odeur de cire, vivent pour lui comme de « petites âmes ». Dans les sentiers de la montagne, les ânes des Pyrénées lui jettent en passant un regard amical. Les arbres, les plantes, les fleurs, lui parlent pendant ses promenades.

Ces dialogues entre le poète et la nature se déroulent en présence d'un Dieu paternel. Francis Jammes témoigne, dans ses vers, d'une foi robuste et candide. Comme Verlaine, il s'adresse au Créateur avec une familiarité hardie; il le prend pour confident de ses joies, de ses angoisses, de ses peines; il tâche, non sans mal, de dépouiller devant lui l'orgueil de son génie :

> Faites qu'en me levant, ce matin, de ma table,
> je sois pareil à ceux qui, par ce beau dimanche,
> vont répandre à vos pieds dans l'humble église blanche
> l'aveu modeste et pur de leur simple ignorance.

Francis Jammes a voulu s'exprimer avec des moyens très simples, afin de transcrire ses sentiments dans leur naïveté et dans leur fraîcheur : « J'aurais pu imiter le style de Flaubert ou celui de Leconte de Lisle et faire comme un autre un poncif. J'ai fait des vers faux et j'ai laissé de côté, ou à peu près, toute forme et toute métrique.... Mon style balbutie, mais j'ai dit ma vérité. »

B. — CHARLES PÉGUY (1873-1914).

Charles Péguy, *socialiste ardent, puis polémiste fougueux, chrétien convaincu, soldat héroïque, a conçu son œuvre littéraire comme un apostolat. Sa poésie traduit presque toujours l'élan de sa foi religieuse.*

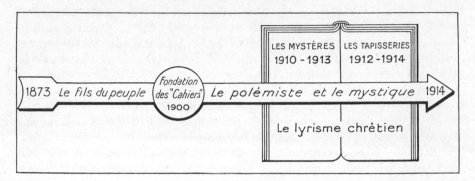

1. — LE DESTIN DE PÉGUY

LE FILS DU PEUPLE
Charles Péguy est né à Orléans, faubourg Bourgogne. Il appartient à une famille d'ouvriers et de petits artisans : son père, qu'il n'a pas connu, était menuisier; sa mère, qui l'éleva, rempailleuse de chaises. De l'école primaire, il alla, comme boursier, au lycée d'Orléans, puis au lycée Lakanal et au lycée Louis-le-Grand pour préparer l'École Normale Supérieure. Il connut, pendant un an, l'internat à Sainte-Barbe, où il se lia, notamment, avec Jérôme et Jean Tharaud. Normalien, il se signala par l'indépendance farouche de son caractère, tout en exerçant sur ses camarades l'ascendant de son génie. En 1896, il écrivit un «drame», *Jeanne d'Arc*, dont l'idée le hantait depuis son enfance : son héroïne y apparaît comme une fille des champs inspirée, que le peuple adopte et impose au Roi. Marié avec la sœur de son camarade Marcel Beaudouin, qui partage ses idées, il se consacre à un apostolat socialiste et définit son idéal dans *Marcel, premier dialogue de la cité harmonieuse* (1898). Avec l'aide de Lucien Herr, bibliothécaire de l'École Normale, il fonde une société d'édition; il combat à ses côtés pour la revision du procès Dreyfus.

LA FONDATION DES « CAHIERS »
Péguy rompt bientôt avec Herr et le socialisme orthodoxe. Il s'installe en face de la Sorbonne et crée les *Cahiers de la Quinzaine.* Il se déclare prêt à y accueillir des collaborateurs de tendances diverses et à leur garantir une totale liberté d'expression. Les *Cahiers*, qui révélèrent au public Romain Rolland, les frères Tharaud, André Suarès, publièrent des textes d'Anatole France et la plupart des œuvres de Péguy lui-même. En dépit des plus graves difficultés financières, les *Cahiers de la Quinzaine* se maintinrent jusqu'en 1914; ils ont joué, dans la vie intellectuelle au début du siècle, un rôle de tout premier plan.

LE POLÉMISTE *Après 1900, Péguy s'éloigne décidément de la gauche pacifiste et révolutionnaire.* Il combat l'anticléricalisme, devient l'apôtre d'un nationalisme vigilant et même cocardier. Ses chroniques en prose le révèlent comme un polémiste puissant. Dans *Notre Patrie* (1905), il décrit le saisissement du pays à la nouvelle des incidents d'Algésiras et souligne l'imminence du danger allemand; dans *Notre Jeunesse* (1910), tout en justifiant l'idéalisme dreyfusiste, il condamne l'évolution des partis de gauche, enlisés dans de médiocres combinaisons électorales; dans *L'Argent* et surtout dans *L'Argent suite* (1913), il attaque avec violence les chefs socialistes, ses anciens amis, qu'il accuse surtout d'antimilitarisme, et les professeurs de la Sorbonne, ses anciens maîtres, dont il met en cause les tendances politiques et les méthodes de travail. D'ailleurs, il ne ménage pas non plus ses critiques aux partis de droite ou à l'Eglise : il écrit un pamphlet contre Fernand Laudet, directeur de la *Revue hebdomadaire*, qu'il taxe de tiédeur; il défend avec vigueur Bergson, dont il se proclame le disciple, contre la menace d'une mise à l'index. *Franc-tireur, il est généralement respecté pour son indépendance et pour son désintéressement; mais il ne fait pas figure de chef et n'exerce qu'une influence restreinte.*

LE MYSTIQUE *L'écrivain de combat est d'ailleurs dépassé par le poète mystique.* Péguy avait toujours montré beaucoup de sympathie pour l'idéal chrétien; en 1908, il confie à son ami Lotte qu'il est devenu catholique. C'est une adhésion sentimentale, plutôt qu'une conversion de fait. Son inspiration poétique, pourtant, s'épanouit dans l'élan de la foi. Il remanie *Jeanne d'Arc*, le drame de sa première jeunesse, qui devient *Le Mystère de la Charité de Jeanne d'Arc* (1910); il consacre aux thèmes de l'espérance et de la confiance en Dieu *Le Porche du Mystère de la Deuxième Vertu* (1911), puis *Le Mystère des Saints Innocents* (1912) : ces trois « cahiers » sont écrits en prose poétique. Abordant ensuite le vers régulier, il publie *La Tapisserie de Sainte Geneviève et de Jeanne d'Arc*, où il réunit en un même hommage la patronne de Paris et la vierge guerrière de Domrémy, puis *La Tapisserie de Notre-Dame*, où prend place, à la suite d'un pèlerinage à Chartres accompli en 1912, la célèbre « Présentation de la Beauce à Notre-Dame de Chartres »; *Ève* enfin (1914), vaste ensemble de huit mille vers disposés en quatrains, où il exalte la mission de la femme et pose le problème du salut. Il songe à composer un dernier mystère, *Le Propre de l'Espérance*, qui devait être consacré à une évocation du Paradis. Mais la guerre interrompt le cours de ses méditations religieuses : il meurt héroïquement, le 5 septembre 1914, près de Villeroy, à la tête d'une compagnie d'infanterie.

SIGNATURE DE PÉGUY.

Photo École d'Aéronautique.

LA CATHÉDRALE DE CHARTRES.

2. — L'IDÉALISME DE PÉGUY

Péguy a lutté de toutes ses forces pour le triomphe de sa foi. Il dédaignait le métier d'écrivain : chacune de ses œuvres prenait à ses yeux la valeur d'un témoignage pour une idée sociale, patriotique ou religieuse. Il justifiait ses violences par une inflexible volonté de préserver, en un siècle impur, la flamme de cet idéalisme. Aux hommes d'État comme aux hommes d'Église, il reprochait de favoriser, par calcul ou par faiblesse, « la dégradation de la mystique en politique ».

IDÉALISME CIVIQUE *Il existe, selon Péguy, une « mystique » républicaine ; mais aussi, hélas ! une « politique » républicaine, qui corrompt le pays par ses manœuvres sordides* : « La mystique, c'est quand on mourait pour la République ; la politique, c'est quand on en vit » (*Notre Jeunesse*). Cette opposition entre mystique et politique s'est manifestée dans l'affaire Dreyfus : le mouvement dreyfusiste est né d'un enthousiasme pour la Justice et pour le Droit, mais les politiciens en ont pris prétexte pour sceller d'immorales coalitions ; de même, certains adversaires de la revision pouvaient croire, à l'origine, qu'ils luttaient pour l'honneur de l'armée et pour la protection de l'ordre public, mais le pavillon de l'antidreyfusisme a couvert bientôt les passions les plus basses et les intérêts les plus vils.

IDÉALISME RELIGIEUX *Il existe, de même, une « mystique » chrétienne, que menacent les forces « politiques » de l'Église.* Trop de catholiques ont fait de leur religion « la religion des riches », alors qu'elle aurait dû demeurer « la communion des faibles ». Péguy voudrait que l'on revînt à l'esprit de l'Église primitive : « Il suffit de se reporter au moindre texte des Évangiles. Il suffit de se reporter à tout ce que d'un seul tenant il vaut mieux nommer l'Évangile. C'est cette pauvreté, cette misère spirituelle qui a tout fait, qui a fait le mal. »

Toute vie religieuse se résume pour lui en un élan naïf et confiant de la créature vers Dieu, élan dont il voudrait personnellement donner l'exemple. Quand il s'adresse au Ciel, il emploie un langage plus familier encore que celui de Verlaine ou de Francis Jammes ; il commente avec une liberté qui côtoie l'irrespect la parabole de l'enfant prodigue ; il imagine avec humour le « complot » des saints qui, « liés comme les doigts de la main », tâchent d'obtenir que la Justice divine cède le pas à la Miséricorde ; il prête à Dieu même un langage trivial : « La foi, ça ne m'étonne pas. Ce n'est pas étonnant. J'éclate tellement dans ma création... Ce qui m'étonne, dit Dieu, c'est l'espérance. Et je n'en reviens pas. » Péguy manifeste ainsi son mépris pour les vaines pompes et pour les sermons solennels ; il ne veut se souvenir que de l'enseignement du Christ, si fort dans sa simplicité nue : « Ce n'est point du tout le raisonnement qui manque. C'est la charité. »

3. — L'ART DE PÉGUY

LE MOUVEMENT ORATOIRE *`La phrase de Péguy semble reproduire le mouvement d'une pensée qui se cherche et qui se précise en même temps qu'elle se traduit par des mots.* Des synonymes s'accumulent en tumulte; mais le mécanisme qui les associe ne s'exerce jamais au hasard. L'écrivain suit le fil d'une réflexion méthodique et tenace, qui marque un progrès à chaque nouveau terme; il avance par vagues successives, dont chacune recouvre et dépasse la précédente : « Singulier peuple de Paris, peuple de rois, peuple roi; le seul peuple dont on puisse dire qu'il est le peuple roi sans faire une honteuse figure littéraire; profondément et véritablement peuple, aussi profondément, aussi véritablement roi; dans le même sens, dans la même attitude et le même geste peuple et roi... » (*Notre Patrie.*)

LE RYTHME POÉTIQUE *Les procédés oratoires qui donnent à la prose de Péguy sa vigueur et son relief se retrouvent dans ses vers.* Le rythme propre au poète des *Tapisseries* est un rythme pesant, monotone, obsédant, qui fait songer à la marche d'un fantassin chargé de ses bagages ou aux litanies d'un chrétien en oraison. Péguy épuise toutes les variations possibles sur un thème déterminé; puis il en lance un autre, qui se prête, à son tour, à une longue suite de combinaisons. Ainsi s'adresse-t-il à Ève exilée du paradis terrestre; il détaille en un mouvement unique et qui se propage de strophe en strophe toutes les misères de sa nouvelle condition :

> O mère ensevelie hors du premier jardin,
> Vous n'avez plus connu ce climat de la grâce...
> Vous n'avez plus connu la terre maternelle
> Fomentant sur son sein les faciles épis...
> Vous n'avez plus connu les saisons couronnées
> Dansant le même pas devant le même temps...
>
> (*Ève.*)

L'IMAGINATION POÉTIQUE *Cette progression lente et régulière engendrerait à la longue un sentiment de lassitude, si de magnifiques images n'en rehaussaient le cours.* Ces images sont presque toujours naturelles : la glèbe nourricière, l'eau, le soleil, les inspirent. Péguy possède un don de vision concrète qui lui permet de donner une forme aux idées ou aux sentiments. Évoque-t-il « la deuxième vertu », l'espérance? Il la représente sous l'aspect d'une petite fille, suggérant ainsi que l'espérance est une joie qui n'est pas encore adulte et qui parviendra à l'âge mûr par la grâce de Dieu :

> L'Espérance est une petite fille de rien du tout,
> Qui est venue au monde le jour de Noël de l'année dernière,
> Qui joue encore avec le bonhomme Janvier,
> Avec ses petits sapins en bois d'Allemagne couverts de givre peint...
> C'est cette petite fille pourtant qui traversera les mondes,
> Cette petite fille de rien du tout,
> Elle seule, portant les autres, qui traversera les mondes révolus.
>
> (*Le Porche du Mystère de la Deuxième Vertu.*)

C. — PAUL CLAUDEL (1868-1955)

LA CARRIÈRE DE CLAUDEL   Paul Claudel est né à Villeneuve-sur-Fère, dans l'Aisne. En juin 1886, il découvrit l'œuvre de Rimbaud, dont il subit « l'ensorcellement »; le poète d'*Une Saison en Enfer* devint pour lui « l'illuminateur de tous les chemins ». Six mois plus tard, le jour de Noël, comme il entendait le *Magnificat* à Notre-Dame, se produisit l'événement qui domine toute sa vie : « En un instant, mon cœur fut touché et je crus »; mais il dut lutter pendant quatre ans, révèle-t-il, pour mettre d'accord son esprit avec son cœur et pour adopter définitivement la foi catholique.

En 1890, Paul Claudel entra dans la carrière diplomatique. Consul, ministre plénipotentiaire, ambassadeur enfin, il séjourna dans de nombreux pays : l'Extrême-Orient et l'Amérique du Sud semblent avoir produit sur lui l'impression la plus vive. Nourri de la Bible, de la liturgie, des tragiques grecs, de Shakespeare, il consacra ses loisirs à la poésie lyrique ou dramatique. Il écrivit d'abord pour la scène[1], puis il publia, en 1900, un recueil de poèmes en prose inspirés par la Chine, *Connaissance de l'Est*. Son chef-d'œuvre poétique s'intitule *Cinq grandes Odes, suivies d'un Processionnal pour saluer le siècle nouveau* (1910). Retranché dans ses convictions mystiques, Claudel, désormais, célèbre la gloire de Dieu ou dénonce avec violence les erreurs du siècle révolu et de ses grands hommes, rêveurs dangereux ou penseurs diaboliques :

> Restez avec moi, Seigneur, parce que le soir approche et ne m'abandonnez pas!
> Ne me perdez point avec les Voltaire, et les Renan, et les Michelet, et les Hugo, et tous les autres infâmes!
> Leur âme est avec les chiens morts, leurs livres sont joints au fumier.
>
> (*Troisième Ode, Magnificat.*)

L'ESTHÉTIQUE DE CLAUDEL   *Paul Claudel prend aussi position contre les écoles littéraires qui l'ont précédé.* Aux romantiques, il reproche l'inanité de leurs révoltes contre Dieu et la nature; l'inconsistance de leurs idoles, Humanité ou Progrès; la déclamatoire éloquence de leur poésie. A l'égard des symbolistes, son attitude est plus nuancée; il demeure fidèle à Rimbaud, admire en Verlaine « le poète chrétien qui cohabite si tristement, si douloureusement, avec le poète maudit », loue Mallarmé d'avoir considéré l'univers comme un champ de symboles obscurs à déchiffrer, mais déclare que ce poète ambitieux n'a pas su se frayer un chemin dans cette obscurité : « L'aventure d'Igitur est terminée, et avec la sienne celle de tout le XIXᵉ siècle. »

Comment sortir de cette nuit? En faisant rayonner sur les êtres et les objets, dont le profane interroge douloureusement et vainement le mystère, la lumière de la foi : « Le soleil est revenu au ciel. » Guidé par sa conscience, le poète chrétien saisit les relations entre les êtres, embrasse la création dans sa continuité, prend possession des choses en les nommant et, par son verbe, imite le Verbe divin.

---

1. Sur le théâtre de Claudel, voir pages 52 **sqq.**

LE LYRISME CLAUDÉLIEN *En Claudel, le croyant ne peut être séparé du poète. A ses yeux, l'enthousiasme est la clef de toute œuvre poétique; mais il entend le mot au sens propre de visitation divine : l'inspiration est une forme particulière de la Grâce.* L'univers qu'il chante est celui qu'a décrit Saint Thomas : une hiérarchie de créatures qui, toutes, attestent la gloire de Dieu. Du séraphin au minéral, chacune de ces créatures assume une fonction propre : « Chaque arbre a sa personnalité, chaque bestiole son rôle, chaque voix sa place dans la symphonie » (*Connaissance de l'Est*). Le poète se propose pour objet « cette sainte réalité, donnée une fois pour toutes, au centre de laquelle nous sommes placés » et plonge « au fond du défini pour y trouver de l'inépuisable »; chaque poème est un acte de connaissance, en même temps qu'un acte de foi.

LE RYTHME CLAUDÉLIEN *Claudel a généralement préféré au vers régulier une unité rythmique plus ample et plus souple qu'on a pris l'habitude d'appeler verset.* En réalité, le « verset » claudélien ressemble beaucoup plus à une phrase de prose qu'à une strophe de poème. Lui-même l'a nettement indiqué : « La lignée n'est pas chez les poètes français, mais dans la suite ininterrompue des grands prosateurs qui va des origines de notre langue à Arthur Rimbaud. C'est cette longue houle qui même dans mes poèmes vient enfin déferler et se changer en un vol d'oiseaux, comme dans les estampes du Japon. Prenez mes alinéas, si vous voulez, comme un système nouveau de ponctuation qui aère l'antique masse et lui donne le trait et l'aile. » (*Lettre à Henri Clouard*, 1913.)

Ce rythme naturel, qui se modèle sur celui de la respiration, peut s'adapter aux tons les plus divers. Par moments, le poète semble se détendre et s'abandonner aux jeux d'un humour bonhomme. Plus souvent, il exprime gravement, avec une magnifique profusion d'images, la sérénité ou l'ardeur de sa foi. Toujours, il transcrit avec fidélité les vibrations d'une âme qui répond aux appels de la vie terrestre, sans jamais cesser de songer aux lois de l'ordre divin :

Comme le soleil appelle à la naissance toutes les choses visibles,
Ainsi, le soleil de l'esprit, ainsi l'esprit pareil à un foudre crucifié,
Appelle toutes choses à la connaissance et voici qu'elles lui sont présentes à la fois...

(*Quatrième Ode, La Muse qui est la Grâce.*)

OUVRAGES A CONSULTER

G. BONNEAU. *Albert Samain, poète symboliste* (Mercure de France, 1925). — R. HONERT. *Henri de Régnier* (N. R. C., 1923). — A. FONTAINE. *Verhaeren et son Œuvre* (Mercure de France, 1929). — A. BAILLY. *Maurice Maeterlinck* (Firmin-Didot, 1931). — J. LARNAC. *La Comtesse de Noailles, sa Vie, son Œuvre* (Sagittaire, 1931). — R. CLAUZEL. *Paul Fort ou l'Arbre à poèmes* (Paris, 1925).

CH. SÉNÉCHAL. *L'Abbaye de Créteil* (Paris, 1930). — A. BILLY. *Apollinaire* (Seghers, 1947).

E. PILON. *Francis Jammes et le Sentiment de la Nature* (Mercure de France, 1908). — D. HALÉVY. *Péguy et les Cahiers de la Quinzaine* (Grasset, 1941). — R. ROLLAND. *Péguy* (Albin Michel, 1945). — B. GUYON. *Péguy* (Hatier, 1960). — J. MADAULE. *Le génie de Paul Claudel* (Desclée de Brouwer, 1933).

◇ TEXTE COMMENTÉ ◇

LE PONT MIRABEAU

Sous le pont Mirabeau coule la Seine
      Et nos amours
   Faut-il qu'il m'en souvienne
La joie venait toujours après la peine
5   Vienne la nuit sonne l'heure
    Les jours s'en vont je demeure

Les mains dans les mains restons face à face
      Tandis que sous
   Le pont de nos bras passe
10 Des éternels regards l'onde si lasse
      Vienne la nuit sonne l'heure
    Les jours s'en vont je demeure

L'amour s'en va comme cette eau courante
      L'amour s'en va
15   Comme la vie est lente
Et comme l'Espérance est violente
      Vienne la nuit sonne l'heure
    Les jours s'en vont je demeure

Passent les jours et passent les semaines
      Ni temps passé
20   Ni les amours reviennent
Sous le pont Mirabeau coule la Seine
      Vienne la nuit sonne l'heure
    Les jours s'en vont je demeure.

GUILLAUME APOLLINAIRE, *Alcools.*
(Gallimard, éditeur).

Introduction. — Cette courte pièce est tirée d'*Alcools*, l'œuvre principale d'Apollinaire : un coin de paysage urbain suscite une méditation lyrique, qui semble banale au premier abord, mais devient poignante à force de simplicité et de pathétique.

Le texte. — Le poème est composé de strophes séparées par un refrain. Chaque strophe est constituée de trois décasyllabes sans césure fixe; mais les quatre premières syllabes du second vers sont isolées par un artifice typographique. Les deux vers du refrain sont coupés après la quatrième syllabe.

Première strophe. — *Sous le pont Mirabeau coule la Seine* : ce vers est le seul, dans toute la pièce, qui décrive la réalité extérieure. Le poète songe-t-il à une aventure vécue jadis dans ce cadre? rien ne permet de le supposer. Aussitôt, il s'enferme dans son monde personnel : à la fuite de l'eau, il associe la fuite du temps; et nous voilà transportés dans son passé. Pourtant, il semble redouter cette évocation : *Et nos amours faut-il qu'il m'en souvienne*; l'inflexion du tour interrogatif engendre une impression d'inquiétude lasse. A cette mélancolie s'oppose en apparence l'affirmation du dernier vers : *La joie venait toujours après la peine*; mais le souvenir de cette joie n'est qu'une amertume de plus. Le triplement de la rime féminine crée dès cette première strophe une atmosphère musicale de complainte, qu'entretient la rime également féminine du refrain. Les deux subjonctifs *vienne* et *sonne* traduisent la résignation du poète devant *les jours qui s'en vont*; mais, douloureusement, il constate : *je demeure*; seul, il est exempt du changement universel, mais il n'y échappe que pour souffrir.

Seconde strophe. — Le souvenir se précise; l'impératif *restons* traduit le désir de rendre présent le passé, de tirer du fond de l'ombre l'image du couple que le poète formait avec l'être aimé. *Face à face* est lourd de mélancolie; par ces mots déjà, le paysage devient symbole, car les deux personnages sont l'un en face de l'autre comme les deux rives du fleuve; le décor se confond presque avec le couple, se charge de la signification du geste humain, tandis que le couple prend l'immobilité inhumaine du décor. Ainsi, *le pont de nos bras* et *l'onde des éternels regards* ne sont pas seulement des images précieuses ou bizarres; ces mots expriment l'âme même du poète, accablé sous le poids de sa permanence. Le refrain, quand il revient, se charge d'une lassitude accrue, et comme de la souffrance de ne pouvoir passer et finir.

Troisième strophe. — Le poète semble incapable de contenir sa peine. Il poursuit à mi-voix un soliloque involontaire. L'œil fixé sur le fleuve, il remâche la lugubre constatation : *L'amour s'en va comme cette eau courante L'amour s'en va*. Puis, dans un sursaut d'amertume saisissant, il reporte son attention sur lui-même : *la vie est lente* fait écho à *je demeure*; l'existence est monotone et pénible à supporter, puisqu'il est seul désormais; et *l'espérance*, qui malgré lui l'entraîne violemment à vivre, est une force mauvaise, car elle le raccroche à une illusion. A cet instant, la reprise du refrain atteste la permanence du regret.

Quatrième strophe. — Les derniers vers traduisent, avec des incorrections imitées de la poésie populaire, un désabusement ironique : pour échapper aux prestiges cruels de l'espérance, le poète se répète que l'amour est fini, et que *passent les jours et passent les semaines*; mais ces jours et ces semaines sont les fragments d'un temps extérieur à lui : son temps intérieur, celui de sa nostalgie et de sa peine, ne passe pas. La répétition finale du premier vers, *Sous le pont Mirabeau coule la Seine*, comme celle des rimes de la première strophe, nous ramène au point de départ : le cercle est fermé, il n'y a pas d'espoir. Les mots si simples de ce vers et du refrain prennent la valeur d'une constatation désespérée : l'amour a passé; seul subsiste, nouveau Prométhée, le poète pétrifié dans sa souffrance.

Conclusion. — Malgré son modernisme apparent (absence de toute ponctuation, suppression de tout repère logique, suites d'images et de termes imprécis), ce poème est au fond très clair et très suggestif : une ligne générale s'en dégage, une forte unité de sentiment est créée par les sonorités, les rimes féminines assourdies et lasses, les répétitions, la présence d'un refrain Il se rattache d'ailleurs, avec son vocabulaire pauvre et simple, ses mots familiers, ses négligences volontaires, à toute une tradition poétique, qui va des chansons de toile à Verlaine.

◇ SUJETS DE COMPOSITION FRANÇAISE ◇

1. — Commenter et discuter à l'aide d'exemples précis ce jugement de M. Gaétan Picon : « La poésie qui domine les années 1890-1910 s'inscrit dans le prolongement du Symbolisme.... Fidèle au projet essentiel du Symbolisme *de reprendre à la musique son bien*, elle est axée sur les possibilités musicales du langage. »

2. — Commenter cette indication de M. André Billy : « Le mouvement d'expansion lyrique qui a commencé avec le romantisme et n'a cessé de tendre à une expression de plus en plus directe et pure des émotions et des perceptions du poète a trouvé son aboutissement dans Apollinaire. »

3. — Dans une conférence faite au Vieux-Colombier sur *L'Esprit nouveau et les Poètes*, G. Apollinaire s'exprimait ainsi : « C'est par la surprise, par la place importante qu'il fait à la surprise, que l'esprit nouveau se distingue de tous les mouvements artistiques et littéraires qui l'ont précédé. » Quelle est, selon vous, la part de la « surprise » dans l'œuvre d'Apollinaire?

4. — Jacques Copeau disait de Charles Péguy : « Ce n'est pas un littérateur, c'est un être qui se donne. » Justifier cette opinion.

5. — Un critique contemporain estime que Charles Péguy doit « une bonne partie de son importance littéraire à son évidente efficacité ». Apprécier cette opinion et préciser en quoi consiste « l'efficacité » de Péguy.

6. — Le réalisme et le symbolisme dans la poésie de Paul Claudel.

Photo Harlingue.

GUILLAUME APOLLINAIRE.
Dessin de R. Fozzi.

CHAPITRE III

LE THÉÂTRE

Photo Henri Manuel.

PAUL CLAUDEL.

A LA *fin du XIXe siècle, la production dramatique, malgré l'exemple d'Henry Becque, s'enlisait dans l'artifice et dans la convention : deux hommes de théâtre, Antoine et Lugné-Poe, contribuèrent, par leurs efforts de prospection et de mise en scène, à un mouvement de renouveau.*

Parmi les auteurs qui abordent des sujets sérieux, les uns s'inscrivent dans la lignée du naturalisme; d'autres analysent le mécanisme de la passion amoureuse; d'autres développent des thèses et tendent à tranformer la scène en tribune; d'autres enfin, tel Edmond Rostand, ressuscitent le climat du drame romantique.

La veine comique, entretenue par l'euphorie de l'époque 1900, est particulièrement appréciée du public; la plupart des auteurs, ingénieux et spirituels, ne songent qu'à amuser; mais Georges Courteline et, dans un tout autre esprit, Alfred Jarry, s'imposent par une originalité vigoureuse.

Paul Claudel enfin, grand dramaturge, restaure sur la scène française le théâtre chrétien.

DATES ESSENTIELLES

1887-1896.	— Antoine au Théâtre Libre.
1890.	— Georges de Porto-Riche : *Amoureuse.*
1893.	— Georges Courteline : *Boubouroche.*
1896.	— Alfred Jarry : *Ubu Roi.*
1897.	— Edmond Rostand : *Cyrano de Bergerac.*
1899.	— François de Curel : *La Nouvelle Idole.*
1900.	— Jules Renard : *Poil de Carotte.*
1910.	— Paul Claudel : *L'Otage.*
1912.	— Paul Claudel : *L'Annonce faite à Marie.*

I. — LES FOYERS DE RÉNOVATION SCÉNIQUE

**ANTOINE
ET LE THÉATRE LIBRE**
Un jeune employé de la Compagnie du Gaz que possédait la passion du théâtre, André Antoine (1858-1943), voulut fonder une scène indépendante, où des pièces d'une conception nouvelle seraient interprétées dans le sens du naturel et de la vie. Telle fut l'origine du Théâtre Libre, qui, en neuf ans (1887-1896), contribua puissamment à l'essor de l'art dramatique français.

Soucieux, avant tout, de rompre avec les conventions surannées et d'élargir l'horizon du théâtre, Antoine accueille libéralement des œuvres de tendances diverses. Il révèle ou consacre les talents d'Eugène Brieux, François de Curel, Henri Lavedan, Émile Fabre, Georges Courteline; dans un pays encore peu accueillant aux dramaturges étrangers, il réussit à éveiller la curiosité du public pour les maîtres du théâtre européen de son temps : l'allemand Gehrart Hauptmann; les russes Tourguenieff et Léon Tolstoï (*La Puissance des Ténèbres*); le suédois Strindberg; les norvégiens Björnston et Henrik Ibsen (*Le Canard sauvage*).

Metteur en scène, Antoine procède à des réformes techniques capitales. Dans son désir de restituer l'atmosphère propre à chaque œuvre, il veille à la vérité du décor et des costumes, utilise le premier les jeux variés de la lumière, en particulier le clair-obscur. Il apprend aux acteurs à rechercher la vérité des gestes et des intonations; à exploiter, grâce à une mimique expressive, les ressources du silence; enfin et surtout, à renoncer à tout succès personnel pour se mettre au service d'un ensemble. « L'idéal absolu de l'acteur, déclarait-il, doit être de devenir un clavier, un instrument merveilleusement accordé dont l'auteur jouera à son gré. » Toutes ces innovations allaient dans le sens des tendances du moment : aussi, malgré son éclectisme, Antoine donna-t-il l'impression de servir l'esthétique naturaliste.

**LUGNÉ-POE
ET LE THÉATRE
DE L'ŒUVRE**
Une réaction contre le Théâtre Libre se dessine en 1890 : Joseph Péladan fonde le Théâtre de la Rose-Croix, qui joue des pièces d'inspiration mystique. L'année suivante, Paul Fort crée le Théâtre d'Art, qui offre surtout au public des pièces d'atmosphère symboliste : adaptations scéniques de Mallarmé, de Rimbaud, de Jules Laforgue; pièces de Verlaine ou de Maeterlinck. Paul Fort, malheureusement, dispose de moyens limités. En 1893, il abandonne la direction de son entreprise à Lugné-Poe (1870-1940), qui transforme le Théâtre d'Art en Théâtre de l'Œuvre. Le premier succès de Lugné-Poe fut *Pelléas et Mélisande*, de Maeterlinck.

Le Théâtre de l'Œuvre devint décidément le champ des expériences dramatiques du symbolisme. Le spectacle s'accompagnait souvent d'une conférence où se trouvait défini l'esprit de la pièce représentée. Lugné-Poe prit comme point de départ les réformes d'Antoine, mais il introduisit sur la scène le mystère et la poésie. A l'exemple d'Antoine encore, mais plus systématiquement, il révéla des pièces étrangères; il dut ses principaux succès à Ibsen (*Maison de Poupée, Un Ennemi du Peuple*), à Björnston, à Gogol, à Hauptmann.

II. — LE DRAME ET LA COMÉDIE DRAMATIQUE

A. — L'HÉRITAGE NATURALISTE

JULES RENARD
(1864-1910)

Jules Renard, originaire du Nivernais, passe presque toute sa vie à la campagne; mais il est avant tout « homme de lettres » : son *Journal* (1887-1910) contient de curieuses révélations sur sa méthode de travail et sur le métier d'écrivain. Il publie d'abord des romans : *L'Écornifleur* (1893), cynique confession d'un jeune parasite qui s'est introduit dans un ménage de sots bourgeois; *Poil de Carotte* (1894), poignant témoignage sur la détresse d'une âme enfantine. Il compose ensuite des tableaux de la vie rustique : ses fameuses *Histoires naturelles* (1896) sont un album d'instantanés cocasses dont les modèles sont des bêtes.

Au théâtre, Jules Renard excelle surtout dans la pièce en un acte. *Le Pain de Ménage* (1897) est un dialogue amer entre deux personnages qui, prisonniers d'un destin monotone, évoquent leurs regrets refoulés et leurs obscurs besoins d'évasion. *Poil de Carotte* (1900), adapté du roman, révèle le goût de l'auteur pour l'observation minutieuse, son art du trait délié et son sens de l'humour cruel : « Tout le monde ne peut pas être orphelin », dit le jeune héros; et ce mot si fort jette une vive lumière sur les profondeurs de son âme meurtrie. Styliste épris de perfection, Jules Renard procède par petites touches savamment nuancées, par égratignures de burin; chaque réplique porte; mais cet art un peu mécanique a ses limites : le souffle et le mouvement font défaut.

OCTAVE MIRBEAU
(1850-1917)

A la scène comme dans ses romans (*L'Abbé Jules; Sébastien Roch; Le Calvaire*), Octave Mirbeau se signale par un tempérament brutal et par une verve cynique. Dans *Les Mauvais Bergers* (1897), il décrit en traits schématiques l'antagonisme entre patrons et ouvriers. Dans *Les Affaires sont les Affaires* (1903), il peint avec relief un Turcaret moderne, Isidore Lechat, « affairiste » tour à tour cauteleux et cynique, mais en toute circonstance hanté par l'appât du gain : la pièce frappe encore par l'intensité de l'action et par la vigueur fulgurante de certaines reparties.

ÉMILE FABRE
(né en 1869)

Émile Fabre pose dans ses pièces des problèmes sociaux. Il décrit l'action dissolvante des intérêts matériels dans le cadre de la famille (*L'Argent*, 1895), la corruption des mœurs électorales dans une petite ville de province (*La Vie publique*, 1901), l'influence des grandes entreprises financières sur le mécanisme d'une société (*Les Ventres dorés*, 1905), l'exploitation des colonies par des fonctionnaires tyranniques (*Les Sauterelles*, 1911). De nombreux personnages passent et vivent dans ces drames fortement ourdis, au dialogue sobre et net. Il n'a manqué à ce robuste artisan du théâtre qu'un sens plus affiné de la complexité des problèmes humains.

B. — LE THÉÂTRE D'AMOUR

G. DE PORTO-RICHE
(1849-1930)

Georges de Porto-Riche s'est imposé au théâtre grâce à Antoine, qui fit jouer *La Chance de Françoise* (1888) sur la scène du Théâtre Libre. *Amoureuse* (1890), *Le Passé* (1897), *Le Vieil Homme* (1911), *Le Marchand d'Estampes* (1917) demeurent les pièces maîtresses de son œuvre, qu'il a réunie sous le titre général « Théâtre d'amour ».

Georges de Porto-Riche s'est surtout attaché à l'étude du couple humain. Il peint l'amour comme une passion exclusive et tyrannique : ainsi, dans *Amoureuse*, le héros se révolte contre les exigences importunes de sa femme, qui prétend l'accaparer. Hanté par l'exemple de Racine, il s'efforce de construire ses pièces avec rigueur, en réduisant au minimum les péripéties extérieures. Il possède le sens de la progression dramatique, mais il ne varie guère ses types humains, et son dialogue, où les tirades diluées alternent avec les formules à effet, paraît aujourd'hui assez artificiel.

HENRY BATAILLE
(1872-1922)

Henry Bataille a suscité dans les premières années du XXᵉ siècle un extraordinaire engouement avec *Maman Colibri* (1904), *La Marche Nuptiale* (1905), *Poliche* (1906), *La Vierge folle* (1910). Il a peint des personnages en pleine crise passionnelle, qui se déchaînent contre toutes les exigences sociales : ainsi l'héroïne de *La Marche Nuptiale* a quitté sa famille pour lier son destin à celui de l'humble musicien qui lui enseignait le piano. Il a voulu émouvoir en alliant à la vérité de l'observation le lyrisme de l'expression; mais sa psychologie reste limitée et conventionnelle, malgré quelques coups de sonde dans le fond trouble des âmes; et son style tombe souvent dans l'affèterie ou le verbalisme.

HENRY BERNSTEIN
(1876-1953)

Henry Bernstein, dans *La Rafale* (1905), *La Griffe* (1906), *Le Voleur* (1906), *Samson* (1907), *Le Secret* (1913), s'est imposé au public par sa science de la construction dramatique et des effets violents. A la peinture de l'amour, il mêle en général celle d'âpres intérêts d'argent : ainsi, le héros de *La Griffe*, journaliste et homme politique, trahit la cause de son parti, puis trafique de son influence dans le vain espoir de retenir auprès de lui sa jeune femme par l'appât d'une vie luxueuse; celui de *Samson* provoque sa propre débâcle financière en ruinant son rival; celui de *La Rafale* perd au jeu, commet un abus de confiance et se tue, malgré les efforts désespérés de sa maîtresse pour le sauver. Après la guerre de 1914, Henry Bernstein, dans *La Galerie des Glaces* (1924), dans *Félix* (1926), dans *Mélo* (1929), tentera de se renouveler en peignant l'âme inquiète de ses contemporains. Homme de théâtre avisé, Bernstein sait tenir son auditoire en haleine; toutefois l'émotion qu'il suscite est de qualité vulgaire et ses personnages manquent de nuances : « Ce ne sont pas des caractères, mais des silhouettes, observait Jacques Copeau. Un trait leur est commun, la bassesse morale. »

C. — LE THÉATRE D'IDÉES

FRANÇOIS DE CUREL
(1854-1929)

François de Curel, révélé par Antoine, obtient d'emblée les suffrages d'une élite, sans jamais réussir à s'imposer au grand public. Dans la solitude de ses forêts lorraines, il donne une forme dramatique à quelques graves problèmes qui se posaient à la conscience de ses contemporains. Ainsi *Le Repas du Lion* (1897) montre les diverses attitudes entre lesquelles doit choisir un industriel, face aux exigences de ses ouvriers; *La Nouvelle Idole* (1899) pose la question des droits que le savant croit pouvoir s'arroger au nom de la science et des devoirs que lui impose le respect de la vie humaine.

¶ *La Nouvelle Idole.*

Le docteur Albert Donnat a fait de la science son idole. Un jour, une orpheline atteinte de tuberculose vient le consulter : la jugeant perdue, il n'hésite pas à lui inoculer le virus du cancer pour tenter des expériences qui pourront sauver des milliers de vies humaines. Or, la jeune fille guérit. Donnat, pour se châtier, s'inocule le virus mortel et note soigneusement les progrès du mal. Mais la petite malade, qui a trouvé un réconfort dans la foi religieuse, apaise ses remords : elle accepte la mort avec joie. Bouleversé par ce sacrifice, Albert Donnat se demande s'il n'y a pas, au-delà de la science, un mystère infini et il meurt en croyant.

François de Curel a dédaigné les succès faciles et tenté de rendre au théâtre sa dignité morale et intellectuelle. Ses meilleurs drames mêlent l'éclat du lyrisme à la vigueur de la pensée. Cependant il n'évite pas toujours l'écueil des pièces à thèse et verse parfois dans la grandiloquence ou le didactisme.

PAUL HERVIEU
(1857-1915)

Paul Hervieu aborde, lui aussi, des thèmes sociaux. Il dénonce les effets de la calomnie (*Les Paroles restent*, 1892), proteste contre le joug trop pesant du mariage (*Les Tenailles*, 1895), décrit l'asservissement de la femme (*La Loi de l'Homme*, 1897) ou l'ingratitude des enfants (*La Course du Flambeau*, 1901). Partout, il décèle, sous le vernis de la civilisation, la persistance de l'instinct primitif.

Paul Hervieu a nourri une double ambition : défendre à la scène un rigoureux idéal moral et restaurer l'intensité de la tragédie classique. Mais ses professions de foi, formulées en des tirades éloquentes, sont banales ou périmées; et son œuvre, dépourvue de pittoresque, apparaît aujourd'hui raide et figée.

EUGÈNE BRIEUX
(1858-1922)

Eugène Brieux a fait figure de penseur et d'apôtre auprès d'un certain public bourgeois. Dans *Blanchette* (1892), il prétend montrer les méfaits de l'instruction chez des enfants d'humble origine; dans *La Robe Rouge* (1900), il dénonce la cruauté des magistrats qui sacrifient à leur ambition toute pitié humaine; dans *Les Remplaçantes* (1901), il proclame la nécessité pour les mères d'élever elles-mêmes leurs enfants. Brieux, disciple d'Emile Augier, possède un métier sûr; mais sa pensée est sommaire et son style est plat.

D. — LE DRAME NÉO-ROMANTIQUE. — ROSTAND (1868-1918)

Le théâtre en vers, qui se prête à l'expression des sentiments nobles, a connu un renouveau dans les dernières années du XIXᵉ siècle : Catulle Mendès (*La Reine Fiammette*, 1894), François Coppée (*Pour la Couronne*, 1895), Jean Richepin (*Le Chemineau*, 1897) connurent d'enviables succès; Edmond Rostand, grâce à *Cyrano de Bergerac* et à *L'Aiglon*, fut sacré poète national et conquit une renommée mondiale

LA CARRIÈRE DE ROSTAND Edmond Rostand débute en littérature par un recueil de vers spirituels et cocasses, *Les Musardises* (1890). Le public accueille froidement ses premières pièces : *Les Romanesques* (1894), une fantaisie précieuse qui prend pour point de départ le thème de *Roméo et Juliette*; *La Princesse lointaine* (1898), une légende d'amour dont le héros est le trouvère Geoffroy Rudel; *La Samaritaine* (1897), un drame d'inspiration évangélique. Mais en décembre 1897, *Cyrano de Bergerac*, une « comédie héroïque » débordante de verve et de panache, remporte un triomphe comparable à celui du *Cid*.

¶ Cyrano de Bergerac.

Cyrano de Bergerac est un gascon plein de vaillance, d'esprit et de sincérité, mais affligé d'un trop long nez, qui nuit à son charme. Un après-midi, à l'Hôtel de Bourgogne, il fait scandale en empêchant de jouer le célèbre acteur Montfleury et croise victorieusement le fer avec un marquis ridicule. Mais à cette turbulence succède un profond émoi : sa cousine Roxane, qu'il aime en secret, demande à le voir (*Acte premier*). Cyrano, fou d'espoir, attend Roxane chez Ragueneau, le pâtissier-poète; mais la jeune femme vient seulement demander sa protection pour celui qu'elle aime, le beau Christian, depuis peu engagé dans les Cadets de Gascogne. Magnanime, il voue à Christian une éternelle amitié (*Acte II*). Sous le balcon de sa cousine, Cyrano souffle à Christian les mots d'amour qui débordent de son propre cœur et fait unir les deux jeunes gens par un capucin; le comte de Guiche, qui convoitait Roxane, se venge en faisant envoyer Christian au siège d'Arras (*Acte III*). Tous les jours, Cyrano adresse à sa cousine de ferventes lettres d'amour, qu'elle croit écrites par son mari; mais Christian est mortellement blessé au cours d'une attaque provoquée par la traîtrise du comte (*Acte IV*). Roxane inconsolable s'est retirée dans un couvent; Cyrano vient la voir chaque jour : son secret lui échappe au moment où il va mourir assassiné. Roxane comprend qu'elle a aimé l'âme de Cyrano à travers la beauté de Christian (*Acte V*).

Après *L'Aiglon* (1900), fresque historique en six actes inspirée par le cruel destin du jeune duc de Reichstadt, Rostand se retire dans son domaine pyrénéen de Cambo pour élaborer un poème symbolique de la nature, *Chantecler*, dont les personnages sont des animaux : mais la pièce, annoncée à grand fracas et attendue avec impatience, échoue en 1910. A sa mort, Rostand laisse des fragments d'un nouveau drame, *La Dernière Nuit de Don Juan*.

LE TALENT DE ROSTAND *Il y a, certes, beaucoup de clinquant dans l'art de Rostand,* qui confond souvent la minauderie avec la grâce et l'affectation avec la grandeur. *Mais ce poète-dramaturge possède une imagination brillante et souple, un enthousiasme communicatif, une virtuosité verbale qui s'exerce avec un prestige égal dans les morceaux de bravoure et dans les couplets de tendresse.* Il demeure un auteur de prédilection pour les spectateurs sensibles à l'attrait des phrases sonores et des passions généreuses.

CYRANO TOMBANT DE LA LUNE,
Dessin de Paul-Albert Laurens pour *Cyrano de Bergerac.*
(Éditions Pierre Laffite.)

III. — LE THÉATRE GAI

LE VAUDEVILLE :
GEORGES FEYDEAU
(1862-1921)

Georges Feydeau, fils d'un romancier de talent, Ernest Feydeau, conquit le titre de roi du vaudeville grâce à des œuvres bouffonnes en trois actes dont les plus réussies sont *L'Hôtel du Libre Echange* (1894), *La Dame de chez Maxim's* (1899), *Occupe-toi d'Amélie* (1908). Vers la fin de sa carrière, il écrivit aussi des comédies en un acte, qui demeurent au répertoire : *Feu la Mère de Madame* (1908); *On purge Bébé* (1910). Georges Feydeau excelle à construire avec minutie des intrigues compliquées et cocasses; les situations imprévues naissent les unes des autres avec une logique implacable et l'ensemble est emporté dans un mouvement étourdissant.

LA COMÉDIE FINE :
TRISTAN BERNARD
(1866-1947)

Tristan Bernard fut tour à tour directeur d'usine, avocat, journaliste sportif, poète, romancier. Il débute à la scène avec une comédie en un acte : *Les Pieds Nickelés* (1895), que suivirent une centaine d'œuvres allant de la pochade (*Le Fardeau de la Liberté*, 1897; *L'Anglais tel qu'on le parle*, 1899) à la comédie de caractères (*Triplepatte*, 1905; *Monsieur Codomat*, 1907). Observateur lucide et pourtant indulgent, Tristan Bernard peint avec prédilection quelques types d'humanité familière : des irrésolus comme Triplepatte; des ambitieux aux prises avec les malices du hasard. Ses pièces plaisent par l'aisance du métier, la drôlerie des situations, et surtout par un humour nonchalant, qui est sa marque propre.

LA COMÉDIE
BOULEVARDIÈRE :
FLERS ET CAILLAVET

Héritiers directs de Meilhac et Halévy, Robert de Flers (1872-1927) et G. Arman de Caillavet (1869-1915) régnèrent sur les boulevards de 1900 à 1914. Leurs comédies romanesques, un peu fades (*Miquette et sa mère*, 1906; *Primerose*, 1911), sont inférieures à leurs comédies satiriques, où ils tournent en dérision, avec une outrance sans amertume, certains travers de leurs contemporains : arrivisme des politiciens dans *Le Roi* (1908), ambitions des gens de lettres dans *L'Habit Vert* (1912). Bonne humeur, ingéniosité, nonchalance aristocratique, alliées à un métier sûr, caractérisent ce théâtre où revit une époque insouciante.

Le boulevard fit aussi la fortune d'Alfred Capus, l'auteur de *La Veine* (1901), dont les comédies souriantes et désabusées ont pour ressort l'argent et pour protagonistes d'aimables déclassés ou des aventuriers chimériques; de Maurice Donnay (*Amants*, 1895; *Paraître*, 1906), qui associe avec délicatesse le sentiment et l'humour; d'Henri Lavedan, qui décrit plaisamment les tares de la société aristocratique et bourgeoise, puis, avec *Le Marquis de Priola* (1902) et *Le Duel* (1905), tente d'accéder à la haute comédie; d'Abel Hermant, qui, dans *Les Transatlantiques* (1898), peint avec une précision sèche et une ironie pincée les travers des milieux cosmopolites.

**LA FARCE RÉALISTE :
GEORGES COURTELINE
(1861-1929)**

Le tourangeau Georges Moinaux, dit Georges Courteline, était naturellement porté à fronder l'autorité sociale. De son père, l'humoriste Jules Moinaux, auteur des *Tribunaux Comiques*, il hérita un besoin rageur de pester contre les usages judiciaires (*Un Client sérieux*, 1897; *Le Gendarme est sans pitié*, 1899; *L'Article 330*, 1901). D'autre part, les souvenirs de son temps de garnison à Bar-le-Duc, puis des années passées dans l'administration des cultes, lui ont inspiré de savoureuses charges contre les ridicules des règlements militaires (*Les Gaietés de l'Escadron*, 1895) et des mœurs bureaucratiques (*Messieurs les Ronds-de-Cuir*, roman, 1893). Enfin, dans *Boubouroche* (1893), il s'est élevé à la comédie de caractères.

¶ *Un Client sérieux.*

La scène se déroule en correctionnelle. Le prévenu, Lagoupille, est accusé par le tenancier d'un café d'avoir fait fuir tous les clients par ses exigences révoltantes. Lagoupille proteste avec véhémence; puis l'avocat Barbemolle plaide sa cause. Mais, en cours d'audience, Barbemolle reçoit la nouvelle de sa nomination comme substitut. Il prend aussitôt possession de ses nouvelles fonctions et, sans crainte de se démentir, prononce un violent réquisitoire contre Lagoupille, qui est pourtant acquitté.

¶ *Boubouroche.*

Boubouroche est un petit rentier insouciant et crédule, qui passe une grande partie de ses loisirs au café. Un voisin de palier lui révèle les incartades de sa maîtresse Adèle. Indigné, il monte chez elle et acquiert la preuve flagrante de son infortune. Mais Adèle se défend si adroitement qu'elle parvient à le faire douter de l'évidence; bientôt, c'est lui qui s'excuse et qui s'accuse. Magnanime, elle lui accorde son pardon; et Boubouroche, parfaitement rassuré sur sa vertu, administre une correction au voisin malveillant.

Courteline a souvent utilisé des procédés de farce : il affuble ses personnages de noms burlesques, les manœuvre comme des marionnettes et déploie sur scène une agitation bouffonne. *Il est pourtant capable d'atteindre à la vérité humaine* : Boubouroche, avec sa vulgarité bon enfant, sa veulerie, sa sérénité ingénue, est digne de la haute comédie; La Brige, cet éternel mécontent, qui dénonce sans trêve l'absurdité et la tyrannie des lois, incarne un type redoutable de Français moyen. Le dialogue, à la fois jovial et caustique, donne une impression de réalisme concentré.

**LA FARCE ÉPIQUE :
ALFRED JARRY
(1873-1907)**

Alfred Jarry, totalement affranchi de l'influence de ses contemporains, créa un style comique inédit lorsque, à quinze ans, il écrivit, avec la collaboration de quelques camarades, une farce épique parsemée de souvenirs shakespeariens, *Ubu Roi*. La pièce, jouée sur un théâtre de marionnettes, puis, en 1896, sur la scène de l'Œuvre, souleva les protestations indignées de la critique traditionnelle. Sous l'extravagance des mots déformés (oneilles pour oreilles) ou des gros calembours (le combat des Voraces contre les Coriaces), Jarry cachait une féroce âpreté satirique; à travers le guignolesque père Ubu, bourgeois cupide et vaniteux métamorphosé en meneur de peuple, il tournait en dérision les formes absurdes et cruelles que revêt parfois l'autorité politique et sociale : « Je veux devenir riche, s'écrie Ubu. Après quoi, je tuerai tout le monde et je m'en irai. » Cette dramaturgie d'avant-garde devait exercer une influence sur le mouvement surréaliste.

IV. — PAUL CLAUDEL

L'ÉVOLUTION DRAMATIQUE DE CLAUDEL   Les premières œuvres dramatiques de Claudel sont marquées par sa conversion de 1886 et par l'influence symboliste. *Tête d'Or* (1889); *La Ville* (1890); *L'Échange* (1893); *Le Repos du Septième Jour* (1896) traduisent, par l'intermédiaire de personnages allégoriques, les convictions de l'auteur : désespoir de l'homme sans la grâce; faillite de la cité sans Dieu; unité fondamentale du genre humain; sérénité de l'âme dans la prière.

Peu à peu, Claudel se détache de l'esthétique symboliste : *Partage de Midi* (1906, représenté en 1948), né d'une aventure personnelle, pose le problème du couple humain; *L'Annonce faite à Marie* (1912), un des sommets du théâtre chrétien, évoque le climat mystique du Moyen Age finissant. En même temps, le dramaturge-diplomate s'applique à comprendre le monde moderne : *L'Otage* (1910), *Le Pain dur* (1915) et *Le Père humilié* (1916) constituent une trilogie qui, étalée sur trois générations, montre les répercussions de la crise révolutionnaire sur les plans spirituel, politique et social.

En 1921, Paul Claudel entame un nouveau drame aux multiples épisodes, *Le Soulier de Satin* (représenté en 1943), dont le héros est un conquistador de la Renaissance; dans cette pièce immense, il mêle tous les tons et rassemble tous les thèmes antérieurs, résumant ainsi, selon ses propres déclarations, toute son œuvre poétique et dramatique. *Christophe Colomb*, représenté en 1953, illustre des intentions et des ambitions analogues.

¶ *L'Annonce faite à Marie.*

L'action se déroule au début du xve siècle, dans une ferme du Tardenois. Une jeune fille, Violaine, a, par pitié, donné un baiser au lépreux Pierre de Craon, le constructeur d'églises (*Prologue*). Son père, Anne Vercors, décidé à partir en pèlerinage, cède sa place au laboureur Jacques Hury et lui donne en mariage Violaine (*Acte Ier*). Mara, sœur de Violaine, est amoureuse de Jacques; elle lui raconte, à sa manière, l'histoire du baiser et tâche d'éveiller sa jalousie. Jacques refuse d'abord de la croire; mais Violaine lui montre, sur sa chair, une trace de lèpre et il la maudit. Violaine ne tente même pas de se disculper et se retire dans une ladrerie (*Acte II*). Mara épouse Jacques; ils ont une fille, mais l'enfant meurt. Mara va trouver Violaine et lui tend le cadavre, que la sainte ranime miraculeusement (*Acte III*). Anne Vercors, au retour de Jérusalem, a découvert Violaine dans une sablonnière, écrasée sous une charrette. Mara avoue qu'elle a tué sa sœur, parce que son mari ne pensait qu'à elle. Jacques pardonne au nom de Violaine, dont la mission est de tout réunir, tandis que la cloche des sœurs sonne l'angélus dans la paix du soir (*Acte IV*).

¶ *L'Otage.*

L'action se déroule sous l'Empire. Sygne de Coûfontaine, une jeune fille de vieille noblesse, a échangé sa foi avec son cousin Georges, un proscrit qui s'est mis au service de son roi en exil. Un soir de 1812, Georges se présente chez sa cousine, accompagné du pape Pie VII, qu'il vient d'arracher à ses ennemis. Le pape accepte l'asile qui lui est offert (*Acte Ier*). Mais Toussaint Turelure, un fils de braconnier, qui est devenu préfet de la Marne, est chargé de rechercher le pape. A Sygne, qu'il désire, il pose une alternative : si elle l'épouse, Georges et le pape seront épargnés; sinon, ils seront perdus. Après une entrevue avec le curé Badilon, Sygne se résout au mariage (*Acte II*). En 1814, Louis XVIII, qui médite de restaurer la monarchie, envoie Georges comme négociateur auprès du préfet. En présence de son cousin qu'elle aime toujours, Sygne crie sa haine à Turelure. Georges veut abattre le préfet; mais Sygne s'interpose et meurt, sans pardonner à celui qu'elle a épousé par contrainte. On l'ensevelira sous un étendard à fleurs de lys, aux côtés de son cousin. Turelure poursuivra sa carrière, mais le pape, délivré, pourra retourner à Rome (*Acte III*).

LE GÉNIE DRAMATIQUE DE CLAUDEL   *Dans son théâtre comme dans ses poèmes, Paul Claudel éclaire le mystère de l'univers et le destin de l'homme à la lumière de la foi chrétienne.* Toute son œuvre dramatique, de *Tête d'Or* au *Soulier de Satin*, se résume en un effort pathétique pour détacher la créature de la terre, pour l'acheminer vers Dieu en dépit des tentations charnelles et pour lui permettre de retrouver, avec l'innocence primitive, le paradis perdu : ainsi le héros du *Soulier de Satin*, tour à tour possédé par la passion de la gloire et par l'amour d'une femme, décide de ne plus songer qu'à la vie éternelle.

Cette vision chrétienne de l'univers commande toute la dramaturgie claudélienne. Pour rendre sensible la divine harmonie de la Création, l'écrivain brise les cadres ordinaires : la véritable scène de ses drames est le monde. Il conçoit des pièces aux proportions immenses, aux décors multiples, où l'éclat lyrique se mêle à l'intensité dramatique; il fait entendre un chant somptueux, dont les voix alternées s'épanchent avec la gravité d'un hymne.

UN ÉMULE DE CLAUDEL : HENRI GHÉON   Malgré le rayonnement mondial de ses drames, Claudel n'a guère suscité de disciples. Pourtant, quelques noms demeurent attachés à la renaissance d'un théâtre chrétien, en particulier celui d'Henri Ghéon (1875-1944). Ghéon écrivit d'abord des tragédies populaires d'un symbolisme un peu simpliste : *Le Pain* (1911); *L'Eau de Vie* (1913). Converti au catholicisme, il oriente ensuite son effort vers la réalisation d'une œuvre mystique, retrempée aux sources médiévales (*Les Trois Miracles de Sainte-Cécile; Le Triomphe de Saint Thomas d'Aquin; Le Pauvre sous l'Escalier*, 1921). Henri Ghéon ne désespérait pas d'atteindre un jour « le peuple fidèle » en faisant jouer des mystères modernes par des confréries organisées « sous les porches de nos églises, à l'occasion des grandes fêtes ». Il touche par la noblesse de son inspiration et par la fraîcheur de sa poésie; mais il n'a pas toujours su éviter les écueils du genre édifiant.

OUVRAGES À CONSULTER

E. SÉE. *Le Théâtre français contemporain* (Colin 1933).

L. GUICHARD. *La Vie et l'Œuvre de Jules Renard*, deux vol. (Nizet, 1936). — H. MARX. *Georges de Porto-Riche* (N. R. C., 1924). — E. PRONIER. *La Vie et l'Œuvre de François de Curel* (N. R. C., 1934). — KELLER-LAUTIER. *Edmond Rostand* (N. R. C., 1924).

J. PORTAIL. *Georges Courteline, l'humoriste français* (Flammarion, 1928). — F. LOT. *Alfred Jarry* (N. R. C., 1934).

J. MADAULE. *Le Drame de Paul Claudel* (Desclée de Brouwer, 1930).

S'il vous plait, Seigneur, point de colère ! contenez votre indignation !

Vos flèches se sont plantées en moi et j'ai senti tout le poids de Votre main.

Cette rupture entre nous, ah c'est plus q. ma chair et mes os ne peuvent supporter !

AUTOGRAPHE DE CLAUDEL.

◇ TEXTE COMMENTÉ ◇

DERNIÈRES PAROLES D'YSÉ ET DE MÉSA

Ysé : Vois-la maintenant dépliée, ô Mésa, la femme pleine de beauté déployée dans la beauté plus grande!

Que parles-tu de la trompette perçante? lève-toi, ô forme brisée, et vois-moi comme une danseuse écoutante,

5 Dont les petits pieds jubilants sont cueillis par la mesure irrésistible! Suis-moi, ne tarde plus!

Grand Dieu, me voici, riante, roulante, déracinée, le dos sur la subsistance même de la lumière comme sur l'aile par-dessous de la vague!

O Mésa, voici le partage de minuit! et me voici, prête à être libérée, le

10 signe pour la dernière fois de ces grands cheveux déchaînés dans le vent de la Mort!

Mésa : Adieu! je t'ai vue pour la dernière fois!

Par quelles routes longues, pénibles,

Distants encore que ne cessant de peser

15 L'un sur l'autre, allons-nous

Mener nos âmes en travail?

Souviens-toi, souviens-toi du signe!

Et le mien, ce n'est pas de vains cheveux dans la tempête, et le petit mouchoir un moment,

20 Mais, tous voiles dissipés, moi-même, la forte flamme fulminante, le grand mâle dans la gloire de Dieu,

L'homme dans la splendeur de l'Août, l'Esprit vainqueur dans la transfiguration de Midi!

Paul Claudel, *Partage de Midi*, acte III, fin.

(Gallimard, éditeur.)

Situation du passage. — Entre 1900 et 1906, au « midi » de sa vie, Claudel s'est posé un problème douloureux : comment deux êtres peuvent-ils, dès leur première rencontre, se sentir prédestinés de toute éternité l'un à l'autre et se heurter pourtant à l'obstacle d'un mariage antérieur, sacrement indissoluble? Quinze ans avant *Le Soulier de Satin*, il résout ce problème : dans *Partage de Midi*, il affirme que le renoncement terrestre est la condition et le moyen d'une communion mystique dans l'au-delà. Mais la pièce se déroule presque tout entière dans le monde du péché; c'est seulement au cours de la dernière scène que nous pénétrons dans le monde de la grâce.

Mésa, une âme ardente et tourmentée, a séduit Ysé, femme de De Ciz, après avoir fait attribuer à son mari un poste dangereux où il a trouvé la mort. Au bout d'un an, Ysé a quitté Mésa pour un aventurier qu'elle a connu jadis, Amalric. Au dernier acte, Amalric et Ysé se trouvent cernés par des rebelles dans une ville chinoise. Mésa les rejoint grâce à un sauf-conduit et veut sauver Ysé; Amalric le terrasse, s'empare du sauf-conduit et s'enfuit avec la jeune femme. Mais Ysé abandonne en route Amalric et revient auprès de Mésa pour mourir avec lui. Tous deux comprennent enfin le sens de leur aventure et attendent l'explosion imminente.

Le texte. — Les paroles d'Ysé, avec leurs images (*la femme... déployée*, la *danseuse...*, *jubilants*, la créature *riante, roulante*, sur *l'aile de la vague*), leur rythme irrésistible et comme fébrile, traduisent l'allégresse de l'être qui s'est enfin trouvé lui-même : la femme frivole, capricieuse, de naguère, « brisant tout, se brisant elle-même », renie la *beauté* terrestre dont elle était si vaine et comprend que le rôle de cette beauté, reflet de la beauté divine, n'est pas de mener l'homme à la perdition, mais au contraire, au-delà des attraits charnels, à la *beauté plus grande* du monde spirituel. Mésa vient de déclarer qu'au-delà de la tombe, il entend « le clairon de l'Exterminateur » : Ysé, elle, n'éprouve nullement l'épouvante de la créature terrassée par *la trompette perçante* du jugement; c'est comme un délire de joie qui l'emplit. Elle renonce, tant pour son amant, *forme brisée* (il a eu « l'épaule démanchée » et « la jambe démolie » dans sa lutte avec Amalric) que pour elle-même, chair pécheresse bientôt *déracinée*; elle s'abandonne, *le dos... sur l'aile de la vague*, au flot de la *lumière* divine, qui seule subsiste, c'est-à-dire seule est réalité. *Voici le partage de minuit* : ces mots ferment le cycle qui s'est ouvert au premier acte sur le partage de midi, lorsque la cloche sur le paquebot égrenait les douze coups du milieu du jour, et lorsque Mésa et Ysé eurent au même instant la révélation de leur mutuel amour; mais ce fut pour le péché et le crime. L'autre partage, qui symbolise la frontière de la mort qu'ils ont atteinte, va leur permettre de se retrouver dans leur vérité essentielle. Aussi Ysé rappelle-t-elle, pour en dégager la signification profonde, un autre leit-motiv du drame, celui des *grands cheveux déchaînés*, évoqué au début de la pièce par Amalric, puis au dernier acte par Mésa, qui, en revoyant Ysé « toute blanche avec ses longs cheveux épars dans la véranda inondée par la lune », murmure : « Telle je t'ai vue, jadis, sur le navire. » Tout attrait charnel est dépassé et *le vent de la Mort* fait de cette chevelure, non plus *le signe* d'une vaine et dangereuse jeunesse, mais l'expression à la fois d'un adieu et d'une espérance par-delà la mort.

À l'élan d'Ysé répond celui de Mésa; mais le ton en est différent, à la fois plus sobre et plus grave. Ébranlé par l'impulsion frémissante d'Ysé, il se met en marche avec plus de lenteur, mais il atteint finalement à une connaissance plus profonde. La période commence sur un rythme comme alourdi par un dur et long effort, pour s'élargir dans la splendeur des grandes images terminales : après la séparation et la solitude dans l'expiation (*par quelles routes pénibles..., distants..., allons-nous mener nos âmes en travail?*), viendra l'épanouissement en Dieu. Maintenant Mésa voit plus loin qu'Ysé, au-delà de tout amour humain : il la prie instamment (*Souviens-toi* répété) de se souvenir non du signe purement sentimental des *cheveux dans la tempête* ou du *petit mouchoir*, mais du signe mystique de la *flamme*; le mot fait songer à l'explosion qu'on attend, et qui devient le symbole de la fusion en Dieu par l'anéantissement de la chair. Les expressions *forte flamme fulminante* (noter l'allitération en *f*), *grand mâle, homme, splendeur de l'Août*, soulignent le contraste entre la fermeté conquérante de Mésa et l'abandon d'Ysé; elles traduisent l'entrée résolue, virile, dans la mort qui va rendre possible la *transfiguration* suprême : celle de *l'Esprit* s'accomplissant dans la plénitude divine, comparable à celle de *Midi*.

Conclusion. — Le drame passionnel s'achève ainsi sur un plan humain et mystique à la fois en ce finale d'un lyrisme puissant, qui mêle les symboles hardis aux expressions familières et, comme une œuvre musicale, fait retentir une dernière fois une série de thèmes sous la forme d'images qui se répondent et s'opposent. Le rythme et les sonorités évoquent d'abord un frémissement éperdu, puis une marche lente et rude, finalement épanouie en deux grands accords magistraux; et le dernier mot, *Midi*, rappelle une dernière fois la signification de la pièce. La portée mystique de la pensée, la richesse symbolique de l'expression, le caractère suggestif des images donnent à l'œuvre, dans cette page, un couronnement digne d'elle.

◇ SUJETS DE COMPOSITION FRANÇAISE ◇

1. — Qu'est-ce qui, selon vous, mérite de survivre dans la production dramatique française de 1890 à 1914?

2. — Un critique contemporain écrit : « Les tentatives d'Antoine et de Lugné-Poe ont manifesté deux tendances dont l'opposition n'a plus cessé de s'affirmer depuis lors. » Commenter ce jugement.

3. — « De toute évidence, écrit M. René Lalou, Rostand n'était à son aise que dans le faux. » Partagez-vous cette opinion?

4. — M. Gabriel Marcel estime que *L'Annonce faite à Marie* est « une des très rares œuvres françaises de ce demi-siècle qui pourront être appelées à figurer parmi les chefs-d'œuvre du théâtre universel ». Qu'en pensez-vous?

5. — Un critique dramatique déclara à la répétition générale d'une pièce de Claudel : « C'est du bavardage sublime. » Commenter et discuter cette opinion en l'appliquant à l'ensemble de l'œuvre dramatique de Claudel.

6. — Commenter ce jugement de M. Marcel Girard sur Claudel et sur son théâtre : « Claudel apparaît comme une sorte de monstre littéraire. Orgueilleux et humilié, scandaleux et timoré, épique et burlesque, obscur et enfantin, précieux et brutal, il défie tous les jugements. Jamais Français n'eut moins de *goût*. Pourtant les Français se sont retrouvés en lui. Nourris par quinze siècles de catholicisme, ils en ont conservé le sens du tragique de l'existence humaine. Le drame qui traverse la civilisation actuelle n'a fait que le renforcer. Si bien que le théâtre de Paul Claudel apparaît comme un des efforts les plus pathétiques qui soient pour discipliner, dans le mouvement même d'un art tout dynamique, le chaos des âmes et du monde. »

Photo Harlingue.

DÉCOR POUR « L'ANNONCE FAITE A MARIE ».

LE MOUVEMENT DES IDÉES

Photo H. Manuel.
HENRI BERGSON.

L A pensée philosophique française au début du XXᵉ siècle est dominée par l'œuvre d'Henri Bergson, qui élabore un spiritualisme original. Aux deux pôles opposés de l'horizon politique, Charles Maurras fonde l'Action française et encourage une réaction monarchiste; Jean Jaurès anime le parti socialiste unifié et devient le porte-drapeau des luttes ouvrières.

Les maîtres de la critique littéraire révèlent une grande diversité de tempéraments : Brunetière, intransigeant et péremptoire, articule ses jugements au nom de principes bien arrêtés; Émile Faguet, plus souple, cherche avant tout à pénétrer le caractère de chaque écrivain et analyse chaque ouvrage avec sagacité; Jules Lemaître semble s'abandonner nonchalamment au fil de ses impressions. Cependant, Gustave Lanson réagit à la fois contre les abus du dogmatisme et contre les dangers du subjectivisme : il enseigne à tenir compte avant tout des faits, définit une méthode de recherche érudite et fonde la science de l'histoire littéraire.

DATES ESSENTIELLES

1885-1899.	— Jules Lemaître : *Les Contemporains* (8 vol.).
1892.	— F. Brunetière : *Les Époques du Théâtre français.*
1894.	— Gustave Lanson : *Histoire de la littérature française.*
1896.	— Henri Bergson : *Matière et Mémoire.*
1907.	— Henri Bergson : *L'Évolution créatrice.*

I. — PHILOSOPHIE ET POLITIQUE

LES DOCTRINES PHILOSOPHIQUES :
HENRI BERGSON

La pensée philosophique française rayonne dans des directions diverses : Maurice Blondel se révèle un défenseur efficace du catholicisme traditionnel; Léon Brunschvicg, fidèle aux principes du rationalisme, rend compte, par une analyse objective, des progrès de l'esprit humain; Émile Durkheim inspire toute une école de sociologues. Un prestige exceptionnel s'attache à l'œuvre d'Henri Bergson (1859-1941), dont l'enseignement attira au Collège de France une foule d'étudiants, de mondains, de savants, et dont les travaux connurent un retentissement mondial (*Essai sur les Données immédiates de la Conscience*, 1889; *Matière et Mémoire*, 1896; *L'Évolution créatrice*, 1907; *L'Énergie spirituelle*, 1919; *Les Deux Sources de la Morale et de la Religion*, 1932).

Bergson réagit contre les excès de l'intellectualisme et du scientisme. Il dénonce l'erreur des philosophes qui considèrent l'intelligence comme l'instrument unique et suprême de toute connaissance : selon lui, l'intuition seule permet de saisir directement, dans leur réalité mouvante, les phénomènes de la vie et de la conscience. Il dénonce aussi la confusion entre le temps mathématique, qui se décompose, et la durée, substance de notre vie intérieure, qui est une création fluide et continue. Il restaure en psychologie la notion de liberté et conclut à l'existence d'un Dieu « générateur à la fois de la matière et de la vie ». Orateur séduisant, écrivain harmonieux à la langue imagée, Bergson a exercé sur la littérature une influence considérable : Charles Péguy l'a considéré comme son maître; Marcel Proust lui doit aussi beaucoup.

LES DOCTRINES POLITIQUES
ET SOCIALES

Les passions politiques, exaspérées par les luttes de l'affaire Dreyfus, se heurtent avec violence. A l'extrême-droite comme à l'extrême-gauche naissent ou grandissent des partis que des théoriciens arment de programmes et d'arguments.

Charles Maurras (1868-1952). — *Charles Maurras, doctrinaire rigide, fonde en 1899 le mouvement royaliste de l'Action française* et lance une campagne d'agitation qui se propose comme but le renversement de la République; il commente les événements dans un journal dont il partage la direction avec le pamphlétaire Léon Daudet; il gagne à ses idées par son talent une importante fraction de la jeunesse aristocratique et bourgeoise.

Jean Jaurès (1859-1914). — *Jean Jaurès, orateur fougueux, contribue à la création, en 1905, d'un parti socialiste unifié* qui lutte pour la transformation du régime capitaliste en un régime collectiviste; il s'efforce de concilier avec ses tendances idéalistes les enseignements du marxisme traditionnel, combat pour la sauvegarde de la paix internationale et conquiert par sa générosité l'ardente sympathie de la classe ouvrière.

II. — CRITIQUE ET HISTOIRE LITTÉRAIRES

LA CRITIQUE DOGMATIQUE :
FERDINAND BRUNETIÈRE

Brunetière (1849-1907) fut directeur de la *Revue des Deux Mondes* et maître de conférences à l'École Normale Supérieure, où il s'imposa par l'impérieux ascendant de sa parole. Ses idées littéraires s'affirment surtout dans *Le Roman naturaliste* (1883); *Les Époques du Théâtre français* (1892); *L'Évolution de la Poésie lyrique au XIXe siècle* (1894). Après l'affaire Dreyfus, il prend parti dans les luttes politiques et défend les principes de la Droite.

Brunetière, qui a subi l'influence de la pensée évolutionniste, s'efforce d'appliquer à la littérature les théories de Darwin et de Spencer; il enseigne que les genres littéraires comme les espèces vivantes naissent, s'épanouissent et meurent en donnant naissance à des genres nouveaux : ainsi, au XVIIe siècle, l'éloquence de la chaire se constitue avec les débris de la poésie lyrique; au XVIIIe siècle, des formes dramatiques nouvelles tendent à se définir parce que la tragédie classique a vécu.

Brunetière apporte dans ses jugements sur les écrivains une passion fougueuse, qu'inspirent souvent des considérations morales. Partisan de l'autorité et de la tradition, il loue la dignité des œuvres classiques; mais il estime dissolvante l'action des « philosophes » au XVIIIe siècle, indécente la crudité des romanciers naturalistes; et il combat le « dilettantisme », qui prétend libérer la littérature de toute préoccupation spirituelle ou sociale. L'esprit de système, le parti pris moralisant, l'ont entraîné à commettre des erreurs ou des injustices; mais ses écrits conservent beaucoup de relief grâce à la solidité des connaissances et à l'entraînante fermeté de l'argumentation.

LA CRITIQUE EXPLICATIVE :
ÉMILE FAGUET

Faguet (1847-1916) fut professeur de lycée, critique dramatique au *Journal des Débats*, puis, à partir de 1897, titulaire de la chaire de Poésie française à la Sorbonne. Il a publié une histoire de la *Tragédie au XVIe siècle*, une histoire de la *Poésie*, des *Propos de Théâtre*, des études sur le XVIe, le XVIIe, le XVIIIe et le XIXe siècles, des monographies sur les philosophes du XVIIIe siècle, sur les écrivains politiques et moralistes du XIXe, sur Flaubert, sur André Chénier. Après 1900, il aborda avec l'esprit d'un conservateur les problèmes posés par l'actualité, analysant le libéralisme, l'anticléricalisme, le socialisme, le pacifisme, le féminisme. Sa vaste curiosité l'amena enfin à commenter, en marge de la littérature française, les œuvres de Nietzsche et de Platon.

Faguet, à l'inverse de Brunetière et à l'exemple de Sainte-Beuve, se défie des systèmes et s'intéresse surtout à la psychologie des écrivains : doué d'une intelligence agile et pénétrante, il recrée leur tempérament et leur caractère, reconstruit pièce à pièce l'histoire de leur pensée. Il stimule ainsi la réflexion du lecteur. Mais il se montre peu accueillant aux tendances nouvelles. En outre, il manque d'art : son style, sauf quelques formules lapidaires, est lourd et encombré de scories.

LA CRITIQUE IMPRESSIONNISTE : JULES LEMAITRE

Jules Lemaître (1853-1914) fut professeur dans l'enseignement secondaire pendant une dizaine d'années. A partir de 1885, il publia, sous le titre *Les Contemporains*, de nombreux portraits d'écrivains du XIXᵉ siècle; puis, lorsque le *Journal des Débats* l'eut chargé de sa chronique dramatique, des *Impressions de Théâtre* (1888-1898). Comme Brunetière et Faguet, il s'orienta vers la politique après l'affaire Dreyfus; il participa au mouvement d'Action française. Dans les dernières années de sa vie, il publia, sur Rousseau, Racine, Fénelon et Chateaubriand, des cycles de conférences prononcées devant un auditoire mondain.

Jules Lemaître entend juger les œuvres littéraires d'après le plaisir qu'il goûte à leur lecture. La critique telle qu'il la conçoit est « l'art de jouir des livres et d'enrichir et d'affiner par eux ses impressions ». Aussi refuse-t-il de se référer à des règles ou à un type universel de perfection : il se pique de comprendre et de savourer les formes les plus diverses de la Beauté. En fait, cette souplesse de goût n'est pas aussi grande qu'il l'affirme : Lemaître apprécie par-dessus tout les qualités d'ordre, de mesure et de clarté qui caractérisent, selon lui, le génie français. Aussi obéit-il à des sympathies et à des antipathies nettement marquées : il nourrit un culte pour Racine, mais il condamne les outrances des naturalistes, l'obscurité des symbolistes, l'idéalisme vague ou confus des littératures septentrionales.

Les ouvrages de Jules Lemaître demeurent fort agréables à lire. A ses portraits, à ses esquisses, à ses « billets du matin » il donne le ton d'une causerie indulgente ou malicieuse. Le style, limpide et fluide, est d'une nonchalance savamment étudiée.

L'HISTOIRE LITTÉRAIRE : GUSTAVE LANSON

Gustave Lanson (1857-1934) fut professeur de lycée, puis maître de conférences à la Sorbonne et, de 1920 à 1927, directeur de l'École Normale Supérieure. Il publia, en 1894, une *Histoire de la Littérature française*; consacra des ouvrages à *Bossuet*, à *Boileau*, à *Corneille*, à *Voltaire*; établit un *Manuel bibliographique de la Littérature française moderne* et de scrupuleuses éditions critiques.

Lanson a fondé la science de l'histoire littéraire. Il a défini une méthode d'enquête à la fois impérieuse et souple, qui contraint le chercheur à ne négliger aucun élément d'information positive. La recherche des sources, l'établissement d'une chronologie rigoureuse, l'examen des variantes, sont des besognes parfois arides, mais nécessaires : « L'étude de la littérature ne saurait se passer aujourd'hui d'érudition. » *L'érudition, cependant, n'est à ses yeux qu'un instrument*; avant d'être un savant, le véritable historien doit être un homme de goût : il n'amasse les connaissances sur les œuvres littéraires que pour se mettre en état de les mieux comprendre et d'en jouir plus complètement.

Gustave Lanson a fait école. Son autorité scientifique, son honnêteté intellectuelle, son goût littéraire, ont rallié autour de lui de nombreux disciples qui, universitaires pour la plupart, répandent et prolongent ses enseignements. Quelques-unes de ses perspectives doivent être aujourd'hui corrigées; mais les grands principes de sa méthode demeurent à la base de tout travail solide.

DEUXIÈME PARTIE

D'UNE GUERRE À L'AUTRE

CHAPITRE PREMIER

LA POÉSIE

Photo Cahiers du Sud.
PAUL VALÉRY.
Crayon de Kundera. Coll. M. Fournier.

Aprés *la première guerre mondiale, deux tendances opposées se manifestent dans la poésie française. Paul Valéry, disciple de Mallarmé, affirme la primauté de l'intelligence, soumet toute inspiration au contrôle d'une raison lucide et s'impose, dans l'exercice de son art, les contraintes les plus sévères. Les initiateurs du surréalisme, qui se réclament de Lautréamont, voient dans la vie inconsciente la source de toute création authentique, dénoncent la tyrannie des normes logiques et rejettent toutes les règles traditionnelles. Parmi les poètes surréalistes, André Breton est demeuré fidèle aux principes du mouvement dont il s'est institué le théoricien; mais ses anciens compagnons Aragon et Paul Eluard se sont éloignés de lui pour défendre la cause d'une poésie « engagée » dans la réalité politique et sociale.*

Paul Valéry n'a pas fait école : son œuvre, qui restaure au XXᵉ siècle des principes classiques, demeure une réussite unique en son genre. Le surréalisme, au contraire, a exercé une influence sur de nombreux écrivains et apparaît comme l'une des manifestations les plus significatives du génie moderne.

─── **DATES ESSENTIELLES** ───

1917. — Paul Valéry : *La Jeune Parque.*
1922. — Paul Valéry : *Charmes.*
1923. — Paul Valéry : *Eupalinos. L'Ame et la Danse.*
1924. — *Manifeste surréaliste.*
1928. — André Breton : *Nadja.*
1940. — Louis Aragon : *Le Crève-Cœur.*

I. — PAUL VALÉRY (1871-1945)

PAUL VALÉRY, *après d'obscurs débuts parmi les poètes du symbolisme, conçoit le personnage de M. Teste, qui est à l'image de son idéal intellectualiste; puis il se recueille et mûrit longuement les lois d'une esthétique sévère, qu'illustreront ses poèmes, que définiront ses essais ou son dialogue en prose « Eupalinos ».*

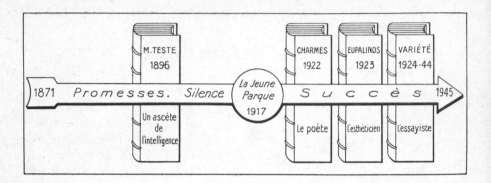

A. — LA CARRIÈRE DE VALÉRY

PROMESSES (1871-1897)   Paul Valéry, né à Sète, passe son adolescence à Montpellier, où il fréquente le lycée, puis la faculté de Droit. A vingt ans, il se rend à Paris; son ami Pierre Louÿs l'introduit auprès de Mallarmé, dont il devient le disciple. Il publie des vers symbolistes dans des revues d'avant-garde comme *La Conque* ou *La Syrinx*. Mais il s'avise bientôt que la poésie ne l'intéresse pas en elle-même : elle n'est à ses yeux qu'un mode, parmi bien d'autres, de l'activité spirituelle.

Il se propose de saisir cette activité dans son principe même et de définir « l'attitude centrale à partir de laquelle les entreprises de la connaissance et les opérations de l'art sont également possibles ». Deux essais en prose, l'*Introduction à la Méthode de Léonard de Vinci* (1895) et la *Soirée avec M. Teste* (1896), répondent à cette haute ambition. Léonard de Vinci est célébré comme un « homme universel », dont l'œuvre aux multiples aspects révèle l'exemplaire maîtrise d'un esprit souverain. M. Teste, personnage imaginaire, est décrit comme un ascète de l'intelligence, qui s'applique à entretenir en lui, parmi les vaines agitations du monde, un foyer d'implacable lucidité; il a « tué en lui la marionnette » pour n'attacher du prix qu'à l'aride labeur de la réflexion : « J'ai fini par croire que M. Teste était arrivé à découvrir des lois de l'esprit que nous ignorons. Sûrement, il avait dû consacrer des années à cette recherche; plus sûrement des années encore, et beaucoup d'autres années, avaient été disposées pour mûrir ses inventions et pour en faire ses instincts... Et je sentais qu'il était le maître de sa pensée... »

SILENCE
(1897-1917)

Après la *Soirée avec M. Teste*, Valéry, fidèle aux leçons de son héros, s'enferme dans une solitude studieuse. Il s'éloigne de la poésie et profite des loisirs que lui laissent ses fonctions à l'agence Havas pour méditer sur les mathématiques et plus généralement sur les disciplines abstraites. En 1917 seulement, il rompt ce silence en publiant *La Jeune Parque*; encore désigne-t-il ce long poème comme un « exercice », une application de sa méthode intellectuelle.

SUCCÈS
(1917-1945)

La faveur qui a accueilli *La Jeune Parque* encourage Valéry à persévérer dans le métier d'écrivain. Après la guerre, ses vers, ses dialogues, ses essais lui valent les suffrages d'un public restreint, mais fervent. Son élection à l'Académie, sa nomination au Collège de France, consacrent sa gloire, que couronneront, à sa mort, des obsèques nationales.

Le poète. — Valéry a recueilli ses poèmes de jeunesse dans un *Album de vers anciens* (1920) et ses poèmes de la maturité, à l'exception de *La Jeune Parque*, dans *Charmes*, dont la première édition parut en 1922. Son chef-d'œuvre, *Le Cimetière marin*, est une méditation ardente sur la condition humaine. Les fragments du *Narcisse* développent des variations sur un thème mythologique :

> O Semblable!... Et pourtant plus parfait que moi-même,
> Éphémère immortel, si clair devant mes yeux,
> Pâles membres de perle, et ces cheveux soyeux,
> Faut-il qu'à peine aimés, l'ombre les obscurcisse,
> Et que la nuit déjà nous divise, ô Narcisse,
> Et glisse entre nous deux le fer qui coupe un fruit!

L'esthéticien. — Après la publication de *Charmes*, Valéry revient à la prose et publie deux dialogues, *L'Ame et la Danse*, *Eupalinos* (1923), dans lesquels il imite, au moins en apparence, la manière de Platon. En réalité, il fait de Socrate son porte-parole et lui prête ses idées esthétiques. *L'Ame et la Danse* est une méditation sur le délire qui, par la magie du mouvement, transforme pour quelques instants une femme vulgaire en un être surnaturel. *Eupalinos* est un long entretien sur le génie de l'architecte et, plus généralement, dc tout artiste qui assemble et ordonne ses matériaux pour en faire surgir un chef-d'œuvre : « J'ai cherché la justesse dans les pensées, afin que, clairement engendrées par la considération des choses, elles se changent, comme d'elles-mêmes, dans les actes de mon art. »

Le critique. — Pressé par son public d'énoncer les articles de sa sagesse, Valéry a pris position sur les problèmes de son siècle et suspendu sa méditation intemporelle pour jeter des « regards sur le monde actuel »; mais ses vues les plus lucides concernent la littérature et surtout la poésie. De nombreuses pages capitales figurent, notamment, dans la suite de volumes intitulée *Variété* : La Fontaine, Edgar Poe, Baudelaire, Verlaine, Mallarmé, suscitent tour à tour les réflexions de l'écrivain et lui fournissent mainte occasion de préciser sa propre conception de la poésie.

B. — L'ŒUVRE POÉTIQUE DE VALÉRY

« Les choses du monde ne m'intéressent que sous le rapport de l'intelligence », a déclaré Paul Valéry. L'application de ce principe à l'activité poétique est la grande originalité de son œuvre.

L'OBJET DE LA POÉSIE — *Selon Valéry, le vrai poète est le plus lucide et le plus raisonnable des hommes.* Il ne compte pas sur la visite d'un dieu et sait bien que la Pythie ne dicte pas de poèmes. Il descend au fond de lui-même, afin de convertir en réalités intelligibles les mouvements de l'âme : « La poésie est l'essai de représenter ou de restituer par les moyens du langage articulé ces choses ou cette chose que tentent obscurément d'exprimer les cris, les larmes, les caresses, les baisers, les soupirs, etc. » Il n'étouffe aucune des voix confuses qui suggèrent les secrets désirs de l'être profond; mais son esprit vigilant les interprète et les traduit en paroles.

LES THÈMES DU POÈTE — *Poète de l'intelligence universelle, Valéry pense qu'il ne doit demeurer étranger à aucune réalité.* Quelques-uns de ses plus longs poèmes sont consacrés à de grands sujets : *La Jeune Parque* décrit les états successifs d'une conscience qui glisse du sommeil au réveil; *Ébauche d'un Serpent* énonce, sous la forme d'un monologue, les séductions de l'esprit malin; *Le Cimetière marin* laisse deviner un abîme d'angoisse et de désespoir. Mais Valéry ne dédaigne pas de poser à l'occasion un regard attentif sur les objets les plus ténus : tout relève de son analyse, même le pas d'une danseuse, le vol d'une abeille ou la courbure d'une ligne. Il fixe alors des réalités évanescentes; il épouse des formes impalpables.

L'ART DU POÈTE — *Pour Valéry, « un poème doit être une fête de l'intellect » :* à cette fête participent tous les ornements du langage et toutes les ressources de la musique. Grâce à une contrainte perpétuelle qui s'exerce sur le vocabulaire, les rythmes, les rimes, s'élabore lentement une image de la Beauté, c'est-à-dire une forme qui fait songer « à l'ordre universel, à la sagesse divine » et qui, en outre, enchaîne le lecteur ou l'auditeur par un « charme ». Valéry accepte toutes les disciplines du classicisme comme des gages de la rigueur qu'il recherche : il compose des odes (*Aurore, Calme, La Pythie*), cisèle des quatrains (*Cantique des Colonnes*) ou des sonnets (*L'Abeille, Le Sylphe, Les Grenades*), agence d'amples strophes (*Le Cimetière marin*). Mais il s'interdit toute facilité rhétorique et accumule les effets propres à la poésie; les images, les allitérations, les suggestions de l'harmonie, se multiplient au fil des vers et assurent la continuité de l'enchantement :

Comme le fruit se fond en jouissance,
Comme en délice il change son absence
Dans une bouche où sa forme se meurt,
Je hume ici ma future fumée,
Et le ciel chante à l'âme consumée
Le changement des rêves en rumeur.

(*Le Cimetière marin.*)

Le cimetière de Sète.

« La mer fidèle y dort sur mes tombeaux. » (Paul Valéry. Le Cimetière marin.)

II. — LE SURRÉALISME

A. — LE MOUVEMENT SURRÉALISTE

LA RÉVOLTE SURRÉALISTE *Au lendemain de la guerre, les initiateurs du mouvement surréaliste, André Breton, Philippe Soupault, Paul Eluard, Benjamin Péret, Louis Aragon, sapent tout l'édifice d'idées morales, sociales, esthétiques, construit par les générations précédentes.* Survivants désabusés d'une jeunesse sacrifiée à la guerre, ils n'attendent aucun secours de la religion ni de la société : « Le salut, pour nous, n'est nulle part. » Leur protestation traduit une « révolte supérieure » de la conscience individuelle. Aussi refusent-ils toutes les contraintes qu'on voudrait leur imposer au nom d'un idéal d'ordre ou de beauté.

Selon eux, Valéry et Claudel, leurs aînés de trente ans, ont bâti leur œuvre sur un système de préjugés et d'erreurs. Claudel leur inspire une aversion particulière, à cause de son conformisme bourgeois : « On ne peut être à la fois ambassadeur de France et poète. » Mais Valéry est encore plus loin d'eux, s'il est possible : nourri d'hellénisme, il résume en lui les raffinements d'une culture qu'ils rejettent en bloc.

L'AMBITION SURRÉALISTE *Ces aventuriers de l'esprit, qui sont anarchistes par tempérament comme par doctrine, ne forment pas une école à la façon des Parnassiens ou des Symbolistes.* Le souci de créer une œuvre littéraire ou artistique est secondaire à leurs yeux. Ils définissent avant tout une attitude devant l'existence. Leur ambition est immense et se donne pour objet « une nouvelle déclaration des droits de l'Homme ».

L'activité poétique est un moyen, parmi d'autres, de reconquérir une liberté perdue; elle doit donner occasion à l'homme de cheminer dans les régions obscures de la conscience qui échappent à toute emprise extérieure et de prendre ainsi possession de lui-même : « L'exploration de la vie inconsciente fournit les seules bases d'appréciation valable des mobiles qui font agir l'être humain » (André Breton). Cette aventure eut son héros en Lautréamont, que les surréalistes découvrent et proclament leur unique maître; mais ils saluent aussi le Rimbaud des *Illuminations*, celui qui s'est habitué à « trouver sacré le désordre de son esprit »; et ils reconnaissent leur dette envers Guillaume Apollinaire, qui, toute sa vie, chercha la formule d'une esthétique moderne, qui inventa quelques mois avant sa mort le mot même de surréalisme et qui traça d'avance son programme à la future école dans le poème-testament de *Calligrammes* intitulé *La Jolie Rousse :*

Nous voulons vous donner de vastes et étranges domaines
Où le mystère en fleurs s'offre à qui veut le cueillir
Il y a là des feux nouveaux des couleurs jamais vues
Mille phantasmes impondérables
Auxquels il faut donner de la réalité...

RÊVE D'ENCRE.
par José Corti.

José Corti, dont le nom est étroitement associé à l'histoire du surréalisme, a fixé sur le papier, par de simples taches, mécaniquement obtenues, de capricieuses images, empreintes d'une puissante force suggestive. « Le chimiste la voulait neutre, cette encre, bien dissoute en ses sels, en ses sulfates, bien liée en sa gomme légère, indifférente à tout ce qu'en elle on écrit. Mais si avant toute écriture, avant toute volonté de dessiner des objets, avant toute ambition de révéler des signes, un grand songeur obéit aux rêves intimes d'une substance magique, s'il écoute bien toutes les confidences de la tache, voici que l'encre se met à dire, noir sur blanc, ses poèmes, se met à dessiner les formes du lointain passé de ses cristaux... Le noir mis à jour par les rêves d'un poète de l'encre, le noir sorti de ses propres ténèbres nous livre sa splendeur. » (Gaston Bachelard.)

**LA MÉTHODE
DU SURRÉALISME**

Les surréalistes ont voulu renouveler la matière de toute poésie grâce à une exploration méthodique du mystère intérieur. Pour mener à bien cette entreprise, ils ont ouvert un « bureau de recherches », une Centrale; et tous les membres du groupe collaboraient dans l'enthousiasme, dédaigneux de toute gloire personnelle, uniquement occupés de leur enquête. Selon l'exemple donné par Freud, ils notaient les associations spontanées qui se forment dans les songes. Ils s'intéressaient à tous les états de la conscience antérieurs ou extérieurs à la pensée logique : mythes des primitifs, illusions des fous, hallucinations des névrosés. Ils étudiaient avec passion les phénomènes que les psychiatres appellent hypnose, dédoublement, hystérie. D'une façon générale, ils dénonçaient l'inanité de l'opposition traditionnelle entre la vérité et l'erreur, le rêve et la réalité, la raison et la folie.

Dans leur poésie, les surréalistes écartent toute tentation d'exprimer des idées, car « *un poème doit être une débâcle de l'intellect* »; *et même toute intention de faire œuvre littéraire* : « *La poésie est le contraire de la littérature.* » Ils veulent maintenir leur esprit dans cet état de disponibilité absolue qui lui permettra d'accueillir indistinctement les associations librement formées. *Ils se proposent seulement de transcrire, dans un désordre révélateur, sans se soucier de leur inconvenance ou de leur absurdité, toutes les propositions qui se pressent dans leur conscience libérée.* Tel est le sens de la définition que donne André Breton de l'activité surréaliste : « Automatisme psychique pur par lequel on se propose d'exprimer, soit verbalement, soit par écrit, soit de toute autre manière, le fonctionnement réel de la pensée. Dictée de la pensée en l'absence de tout contrôle exercé par la Raison, en dehors de toute préoccupation esthétique ou morale. » Ainsi se dégage mécaniquement une réalité supérieure, une « surréalité », qui se substitue aux fragiles constructions de l'entendement et fournit la matière d'une connaissance véritable.

Naturellement, cette théorie de la création poétique implique la suppression de toutes les contraintes dont les doctrinaires des diverses écoles, y compris les Symbolistes, avaient plus ou moins reconnu la nécessité. Le recours à des formes fixes de strophes, la recherche d'effets rythmiques ou harmoniques, l'usage de la rime et jusqu'aux règles ordinaires du langage sont des artifices qui compromettent la pureté originelle de l'élan créateur. Aussi l'un des procédés les plus familiers aux poètes surréalistes est-il l'écriture automatique, c'est-à-dire l'enregistrement incontrôlé des mots qui affleurent à la conscience et correspondent à des états obscurément vécus. La fidélité de la notation garantit l'authenticité qui devrait être la loi de toute poésie. Les surréalistes s'efforcent de montrer la vertu suggestive des textes ainsi obtenus par une juxtaposition de termes qui donne l'apparence d'un assemblage fortuit et qui est cependant l'image d'une nécessité vivante : « (De ce que l'homme qui tient la plume) se sent étranger à ce qui a pris par sa main une vie dont il n'a pas le secret, de ce que par conséquent il lui semble qu'il a écrit n'importe quoi, on aurait bien tort de conclure que ce qui s'est formé ici est vraiment n'importe quoi... Dans le surréalisme, tout est rigueur. Rigueur inévitable. Le sens se forme en dehors de vous. » (Aragon.)

B. — ANDRÉ BRETON (né en 1894)

LA CARRIÈRE DE BRETON — Jeune étudiant en médecine, André Breton fut attaché pendant la guerre de 1914-1918 à un service psychiatrique; il s'initia, en même temps, aux théories de Freud et vit dans la psychanalyse une méthode capable de renouveler la connaissance du monde mental. Après l'Armistice, il participa à l'agitation des « dadaïstes », qui prétendaient opposer à toutes les valeurs consacrées une négation totale et systématique. Mais cette attitude lui apparut bientôt insuffisante : sur les ruines accumulées par « Dada », il importait de reconstruire. Le *Manifeste surréaliste*, qu'il lança en 1924, répondit à cette exigence. Breton anima aussi une revue, *La Révolution surréaliste*. Son activité n'a jamais cessé de se confondre avec la vie même du mouvement dont il a défini les aspirations avec éclat.

L'ŒUVRE DE BRETON — Outre ses écrits théoriques, André Breton a publié, tantôt seul, tantôt en collaboration avec Philippe Soupault, Paul Eluard ou René Char, plusieurs volumes d'une poésie chaotique et fulgurante (*Mont de Piété*, 1919; *Les Champs magnétiques*, 1921; *L'Immaculée Conception*, 1930; *Ralentir Travaux*, 1930; *L'Union libre*, 1931; *Le Revolver à cheveux blancs*, 1932). Mais son œuvre la plus marquante est sans doute un récit vécu, *Nadja* (1928).

¶ *Nadja.*

Nadja est une jeune femme au regard mystérieux que le narrateur a rencontrée pour la première fois dans une rue parisienne. Il la revoit, puis la perd de vue et la retrouve par hasard, à plusieurs reprises, comme si le destin s'ingéniait à leur ménager des entrevues. Elle lit dans ses pensées ou dans ses rêves; elle l'intrigue par d'extraordinaires dessins; elle le bouleverse par des révélations que l'événement vérifie; elle l'introduit « dans un monde presque défendu, qui est celui des rapprochements soudains, des pétrifiantes coïncidences ». Sous son influence, à laquelle il tente vainement de résister, il en vient à admettre les circonstances les plus improbables, à douter des certitudes les mieux assises. Il éprouve bientôt, en sa présence, une terreur sacrée. Nadja, pourtant, s'abîme dans son univers intérieur; reconnue folle, elle est internée. Mais qu'est-ce que la folie? Et qui dira si Nadja n'a pas eu part à la vraie connaissance?

L'EXEMPLE DE BRETON — *André Breton a toujours défendu ses principes avec une héroïque intransigeance.* Beaucoup de ses amis se sont éloignés de lui pour devenir les champions d'une idéologie et d'une politique : il les a reniés, afin de protéger contre eux l'autonomie du mouvement. Selon lui, le surréalisme, « né d'une affirmation de foi sans limites dans le génie de la jeunesse », demeure la seule école de création féconde et libre.

La langue de l'écrivain contribue à l'efficacité de sa dialectique. Sa phrase, toujours entraînante, mais souvent dépouillée, s'illumine aussi parfois de poésie. Une image brusquement jaillie dans l'éclair d'un adjectif résume toute une esthétique : « La beauté sera *convulsive* ou ne sera pas. » Une audacieuse rencontre de termes éveille une vision magique : « A flanc d'abîme, construit en pierre philosophale, s'ouvre le château étoilé. »

C. — POÈTES ISSUS DU SURRÉALISME

LOUIS ARAGON
(né en 1897)

Aragon appartient d'abord, comme Breton, au groupe Dada, puis, jusque vers 1930, au mouvement surréaliste. Les poèmes de cette première période, réunis dans des recueils comme *Le Mouvement perpétuel* (1920-24), témoignent déjà d'une grande faculté d'invention verbale, mais ont sans doute moins de portée que ses écrits en prose : *Anicet* (1921), où tente de se définir la révolte de la jeune génération ; *Le Paysan de Paris* (1926), où éclate la poésie de la vie quotidienne dans la grande ville ; le *Traité du Style* (1928), œuvre polémique d'une violence provocante, d'ailleurs cruelle aux abus de l'écriture automatique.

Bientôt gagné au communisme, Aragon s'éloigne de ses anciens amis ; dans *Hourra l'Oural* (1934), il célèbre les conquêtes de la révolution bolcheviste. Pendant quelques années, il écrit surtout des romans. Cependant, la guerre, puis la Résistance, lui fournissent une nouvelle source d'inspiration poétique. Il adopte alors le vers régulier, célèbre le sentiment de la patrie et donne naissance à une poésie savante par ses procédés, mais populaire par son esprit et par sa forme.

Aragon a retenu les leçons de Villon, de Hugo, de Rimbaud, de Lautréamont, d'Apollinaire, de Péguy ; mais son souffle, son rythme, son génie de l'image, l'imposent comme un créateur authentique :

> O mois des floraisons mois des métamorphoses
> Mai qui fut sans nuage et Juin poignardé
> Je n'oublierai jamais les lilas ni les roses
> Ni ceux que le printemps dans ses plis a gardés...
>
> (*Le Crève-Cœur, 1940.*)

PAUL ÉLUARD
(1895-1952)

L'évolution d'Eluard est analogue à celle d'Aragon, mais plus tardive. Les poèmes de sa première manière, recueillis dans *Capitale de la Douleur* (1926), *L'Amour la Poésie* (1929), *La Vie immédiate* (1932), *La Rose publique* (1934), *Les Yeux fertiles* (1936), illustrent, par de perpétuels chevauchements entre le monde réel et le monde du rêve, l'attitude surréaliste. Puis Eluard renonce à une inspiration uniquement subjective : ses derniers recueils le montrent, lui aussi, profondément engagé dans la résistance nationale ou les batailles politiques.

Paul Eluard est un poète-né, au regard limpide et à la voix pure. Sa poésie, proche de la sensation primitive, traduit son intimité avec la nature, avec les objets, avec un être cher. Qu'elle chante l'amour ou la liberté, elle révèle la ferveur d'une âme accueillante et généreuse. Avec des mots très simples mais harmonieusement associés, elle énonce un message de communion :

> Comme le jour dépend de l'innocence
> Le monde entier dépend de tes yeux purs
> Et tout mon sang coule dans leurs regards.
> (*Capitale de la Douleur.*)

Avec l'autorisation de M. Fernand Hazan, éditeur.

LE VIOLONISTE.
Tableau de Chagall.

La peinture de Chagall s'apparente au surréalisme par le goût du merveilleux, de l'humour et du rêve.

D. — EN MARGE DU MOUVEMENT

LÉON-PAUL FARGUE
(1876-1947)

Le parisien Léon-Paul Fargue fut, au collège Rollin, l'élève de Mallarmé, qui l'accueillit plus tard aux Mardis de la rue de Rome. Ses premiers vers parurent dans des revues néo-symbolistes; mais la notoriété ne lui vint qu'en 1918, avec la publication en recueil de ses *Poèmes*. Deux autres volumes, *Espaces* et *Sous la Lampe*, parurent en 1928 et 1929. Léon-Paul Fargue a été le poète de sa ville, dont il a célébré les charmes et les mystères; mais il a épanché aussi avec une simplicité souvent émouvante sa tristesse profonde et son désabusement devant la vie.

JULES SUPERVIELLE
(né en 1884)

Supervielle, né à Montevideo comme Laforgue et Lautréamont, partagea son existence entre la France et l'Uruguay; ses recueils poétiques, de *Brumes du Passé* (1901) à *Oublieuse Mémoire* (1949), jalonnent le demi-siècle. Il se défend de toute affinité avec le surréalisme; pourtant, la fraîcheur de son inspiration, la simplicité de son vocabulaire, apparentent sa poésie à celle d'Eluard. Supervielle possède assez de souffle pour évoquer avec puissance la sauvage beauté de la pampa; mais il excelle surtout dans l'art des demi-teintes et dans l'expression des sentiments délicats. Il chante avec une pudique tendresse, nuancée parfois de malice, l'harmonie d'un paysage, la grâce d'un animal ou le pouvoir de l'amour. Réservé, mais fervent, il est accessible à toutes les voix du monde, à tous les appels de la vie.

JEAN COCTEAU
(né en 1892)

Cocteau, parisien de naissance et de cœur, conquiert, au lendemain de l'Armistice, une grande renommée comme écrivain d'avant-garde. Son intelligence épouse avec agilité les diverses tendances du goût moderne. Dans ses recueils poétiques (*Le Cap de Bonne-Espérance*, 1919; *Vocabulaire*, 1922; *Plain-Chant*, 1923; *Opéra*, 1930), il cultive tour à tour les audaces de son siècle et les traditions de l'âge classique. Les surréalistes, qui ne croient pas à l'authenticité de son inspiration, le tiennent à l'écart de leur mouvement.

Dans tous les domaines de la création littéraire, Cocteau montre la même facilité d'adaptation et le même éclectisme. Romancier, il s'abandonne, dans *Le Potomak* (1919), à une fantaisie bondissante et crée, dans *Les Enfants terribles* (1929), un monde étouffant. Homme de théâtre, il imagine des thèmes de ballets; conçoit un « mimodrame » pour clowns; adapte une pièce de Shakespeare (*Roméo et Juliette*, 1926) ou des légendes grecques (*Orphée*, 1927; *Antigone*, 1928; *La Machine infernale*, 1930); compose avec la même virtuosité une scène au téléphone (*La Voix humaine*), une tragédie (*Renaud et Armide*), un drame bourgeois (*Les Parents terribles*), un drame romantique (*L'Aigle à deux têtes*) ou des scénarios pour le cinéma.

L'œuvre de Cocteau manque sans doute d'assises solides, mais révèle, dans son éparpillement même, la présence constante d'un poète aux sensations aiguës, à l'esprit lucide, au métier éblouissant.

PIERRE-JEAN JOUVE
(né en 1887)

Pierre-Jean Jouve, qui a subi dans sa jeunesse l'influence de l'unanimisme, devait renier ses premiers livres après sa conversion au catholicisme, en 1924. Ses principaux recueils (*Les Noces*, 1928; *Sueur de Sang*, 1934; *Matière céleste*, 1937; *Kyrie*, 1938; *La Vierge de Paris*, 1945) révèlent un poète chrétien. Mais Jouve est aussi un adepte des théories freudiennes : selon lui, la psychanalyse, en montrant le rôle capital que jouent dans la conduite humaine les forces inconscientes et notamment l'impulsion sexuelle, éclaire d'un jour cruel le drame de la créature, déchirée entre la tyrannie de l'instinct et l'exigence de spiritualité. Le poète ne voit pas de solution à ce conflit pour l'homme moderne et se donne comme témoin ou comme prophète d'une inévitable « catastrophe ». Ce lyrisme apocalyptique le situe dans la lignée de Rimbaud.

SAINT-JOHN PERSE
(né en 1889)

Alexis Léger, qui adopta le pseudonyme de Saint-John Perse, est un diplomate de carrière. Dans les années qui ont précédé la guerre de 1939, il fut secrétaire général du Quai d'Orsay; en 1940, il partit pour l'Amérique, où il demeure fixé. Ses œuvres poétiques (*Eloges*, 1911; *Anabase*, 1924; *Exil*, 1942; *Vents*, 1947; *Amers*, 1953) sont le divertissement d'un homme de haute culture et de haut goût. Le champ de son inspiration est « le monde entier des choses ». Avec une éloquence soutenue et parfois cérémonieuse, il exalte les grandes manifestations des forces naturelles, la pluie, la neige, le vent, la mer. Pour l'expression de cette poésie cosmique, il recourt volontiers à la forme du verset, comme Claudel, dont il peut passer pour un disciple original.

OUVRAGES À CONSULTER

M. Raymond. *De Baudelaire au Surréalisme* (Librairie José Corti, 1940). — E. Noulet. *Paul Valéry* (Grasset, 1932). — M. Bémol. *Paul Valéry* (1950). — M. Nadeau. *Histoire du Surréalisme* (Éd. du Seuil, 1945). — J. Gracq. *André Breton* (J. Corti, 1948). — C. Roy. *Aragon* (Seghers, 1945). — L. Parrot. *Paul Eluard* (Seghers, 1945). — R. Lannes. *Jean Cocteau* (Seghers, 1945).

C.-A. Hackett. *An Anthology of Modern French Poetry from Baudelaire to the present day* (Oxford, Blackwell, 1952).

ARAGON
Fusain par Matisse.

◊ TEXTE COMMENTÉ ◊

IL FAUT TENTER DE VIVRE !

Non, non !... Debout ! Dans l'ère successive !
Brisez, mon corps, cette forme pensive !
Buvez, mon sein, la naissance du vent !
Une fraîcheur, de la mer exhalée,
5   Me rend mon âme... O puissance salée !
Courons à l'onde en rejaillir vivant !

Oui ! Grande mer de délires douée,
Peau de panthère et chlamyde trouée
De mille et mille idoles du soleil,
10 Hydre absolue, ivre de ta chair bleue,
Qui te remords l'étincelante queue
Dans un tumulte au silence pareil,

Le vent se lève !... Il faut tenter de vivre !
L'air immense ouvre et referme mon livre,
15 La vague en poudre ose jaillir des rocs !
Envolez-vous, pages tout éblouies !
Rompez, vagues ! Rompez d'eaux réjouies
Ce toit tranquille où picoraient des focs !

PAUL VALÉRY, *Le Cimetière marin.*
(Gallimard, éditeur.)

Introduction. — Ces trois strophes constituent la conclusion, ou plutôt la péripétie finale, d'une longue méditation philosophique et lyrique inspirée au poète par le souvenir du cimetière de Sète, situé sur une colline d'où l'on domine la mer, et au pied de laquelle s'élevait sa maison natale. Nous sommes à midi, vers la mi-juin. L'ardent soleil méditerranéen semble régner seul sur les flots, sur la terre, sur le monde accablé, et devient aux yeux du poète le symbole de l'Être immuable et parfait; à l'immobilité de tout ce qui l'entoure, les choses et les morts, il sent qu'il est seul à s'opposer, parce que seul il est changement. Un vertige le saisit, en face de cette lumière inaltérable et de ces morts qui eux aussi se sont rangés du côté de l'immuable, et il a l'impression qu'il est sur le point de consentir à la stagnation de l'éternité. A cette espèce de démission, un brusque sursaut de ses forces vivantes va lui permettre d'échapper, en le rejetant, hors de la contemplation pure, vers l'action libératrice.

Le texte. — La soudaineté de ce mouvement s'exprime d'emblée par la structure même de la phrase, les répétitions et les coupes heurtées : *Non !* | *non !* | *Debout !* | *... Brisez* | *, mon corps... Buvez* | *, mon sein...* La suppression de tout sujet et de tout verbe au premier vers rend le violence du geste par lequel le poète se replonge, en s'arrachant à l'immuable, dans l'*ère successive*, c'est-à-dire dans le temps, formé d'une succession d'instants passagers, qui est la trame de l'existence humaine. Il ordonne à son corps de *briser* sa *forme pensive*, c'est-à-dire cette attitude de penseur qui était par elle-même une sorte d'adhésion à l'immobilité. Sorti d'un seul coup de sa méditation, il se retrouve parmi les réalités sensibles de l'univers créé, et la bouffée de vent qui l'enveloppe lui semble avoir la fraîcheur d'une *naissance*, comme s'il la recueillait à sa source. L'expression traduit en même temps le retour de la vie dans le paysage comme en son être, car les choses, d'un mouvement parallèle à celui du poète, s'animent et vont l'aider à secouer l'enchantement mortel ; *Une fraîcheur me rend mon âme*, car le poète se retrouve pleinement lui-même dans la conscience de cette vie individuelle et distincte par laquelle il s'oppose à l'Être immuable. Alors, il sent le besoin d'affirmer cette vie par un acte et de se purifier de toute contagion de l'immobilité. Aussi adresse-t-il à la mer les mots de *puissance salée*, parce qu'elle seule va pouvoir opérer cette sorte de résurrection ou de nouvelle naissance : *Courons à l'onde en rejaillir vivant*, dans l'acceptation totale de la condition d'homme, c'est-à-dire d'être changeant.

Cette conversion décisive et sans retour est soulignée par le *Oui!* initial de la deuxième strophe, qui non seulement s'oppose au double *non!* initial de la strophe précédente, mais donne l'élan à une large période qui va comprendre toute la deuxième strophe et culminer avec le premier vers de la troisième. La mer s'anime de plus en plus, et va apparaître aux yeux du poète sous un aspect éperdument mobile, qui sera pour lui une invitation et un exemple : elle est dite *douée de délires* (par allusion aux convulsions des flots en démence), mobile comme les moires d'une peau de bête fauve ou les plis d'un vêtement (la *chlamyde* est le manteau des grecs anciens) ; elle est aussi appelée *hydre absolue* (au sens latin, déchaînée) *ivre de sa chair bleue*, c'est-à-dire du mouvement perpétuellement recommencé de ses propres ondes ; tel est le sens du symbole du serpent (*hydre*, au sens grec) qui se mord la queue et forme de la sorte un cercle, image à la fois du fini et du recommencement perpétuel. En même temps, le vocabulaire, plus concret, plus coloré (*peau de panthère* ; *chlamyde trouée de mille idoles du soleil*, c'est-à-dire, au sens grec du mot idole, des millions d'images du soleil en miniature que reflètent les flots ; *chair bleue ; étincelante queue*), la multiplicité des assonances et des allitérations (grande mer *de délires douée* ; peau de *panthère trouée* ; *mille* et *mille idoles du soleil* ; *hydre ivre* ; te remords l'*étincelante queue... tumulte...*), traduisent fortement la présence du monde sensible, le retour aux impressions extérieures qui ont soustrait le poète à son vertige d'abandon à l'immuable. On admirera en particulier le dernier vers, *Dans un tumulte au silence pareil*, qui exprime avec une rare concision l'émoussement de l'attention produit à la longue par un bruit monotone et continu.

L'élan de cette strophe palpitante donne au premier vers de la dernière strophe une force accrue, qu'augmentent encore les allitérations : le *vent se lève... vivre*. La corresdance signalée plus haut entre la vie des éléments et celle du poète se retrouve ici : la simple *fraîcheur exhalée* est devenue le lever du vent ; tout s'anime à son contact, et le poète lui-même va participer à cette mobilité universelle : *il faut tenter de vivre*, c'est-à-dire s'arracher à la contemplation paralysante, accepter ce frémissement tout physique qui est le propre de la créature soumise au changement. C'est ce qu'exprime également le second vers, qui évoque l'*air*, c'est-à-dire la force de vie, rudoyant en quelque sorte le *livre*, qui est l'album où le poète vient d'écrire ces strophes, mais aussi le symbole de cette chose écrite où se complaît et se fige la pensée abstraite. Le verbe *oser* du troisième vers est, lui aussi, significatif : la vague ne se soumet plus à Midi l'immuable, elle s'abandonne à la vie. La coupe irrégulière du second vers, en détachant les mots : *l'air immense*, traduit le caractère capricieux et fébrile du mouvement que le vent imprime aux pages. Le troisième vers, qui nous montre les crêtes écumeuses (*en poudre*) fusant au-dessus des rochers et semblant naître de leur masse même, exprime avec concision l'élan qui anime la mer. Puis se succèdent des impératifs : le poète encourage de la voix et du geste ce mouvement universel pour lequel il a pris parti et auquel il se mêle. Que les pages aussi participent à cette mobilité et s'en aillent dans le soleil (*éblouies*, mais autant par la vie que par la lumière ; et l'allitération d'*envolez-vous* souligne le caractère impérieux de l'invite) ; que les vagues brisent l'immobilité où tout à l'heure la mer était prise ! Le dernier vers est un rappel presque littéral du vers initial du poème (« Ce toit tranquille où marchent des colombes | Entre les pins palpite... ») : le spectacle de la mer qui semble se relever vers l'horizon suggérait la pente d'un toit, sur lequel se déplaçaient comme des oiseaux les bateaux aux voiles blanches (le *foc* est la voile triangulaire tendue du mât de misaine à la pointe du beaupré) ; mais il suffit de substituer l'imparfait *picoraient* au présent *marchent* pour rejeter dans un passé **irrévocable** la paix un peu morne du début du poème : morne, car vivre est une joie (*réjouies*). Ainsi s'achève, hors du poète comme en lui, la victoire du concret et du mouvant, **revanche sur cette immobilité qui a failli tout engloutir.**

Conclusion. — *Le Cimetière marin*, spécialement dans sa dernière partie, occupe une place à part dans la poésie de Valéry, d'abord par la présence d'un élément personnel et lyrique à peine voilé, assez rare chez ce poète en qui les mouvements du cœur sont constamment repensés par l'intelligence; ensuite par l'évocation concrète (et non pas, comme souvent, cristallisée par l'abstraction) du paysage et du personnage qui en est le centre. Toute la conclusion, en effet, exprime une attitude vivante. **Force concise des expressions, éclat des images, vigueur du rythme, il paraît difficile d'atteindre à plus de maîtrise avec plus de grandeur, en ce dénouement qui dresse l'Homme en face de l'Éternité, l'Être en face du Non-Être, la Vie en face du Néant.**

◇ SUJETS DE COMPOSITION FRANÇAISE ◇

1. — Les éléments traditionnels et les éléments originaux dans la poésie de Paul Valéry.

2. — M. Gaétan Picon estime que l'œuvre de Valéry est d'un bout à l'autre « une épopée de l'intelligence ». Justifier cette formule.

3. — Valéry écrit dans *Variété III* : « Mes vers ont le sens qu'on leur prête. Celui que je leur donne ne s'ajuste qu'à moi et n'est opposable à personne. C'est une erreur contraire à la nature de la poésie, et qui serait même mortelle, que de prétendre qu'à tout poème correspond un sens véritable, unique, et conforme ou identique à quelque pensée de l'auteur. » Que pensez-vous de cette conception de la poésie? A quelles autres conceptions s'opposent-elles?

4. — Quel est, selon vous, le bilan du surréalisme? Doit-on conclure, comme le font certains critiques, à l'échec de ce mouvement?

QU'EST-ELLE?
Dessin extrait de *Nadja* d'André Breton.
(Gallimard, éditeur.)

CHAPITRE II

LE ROMAN

Photo Henri Manuel.
Colette.

Deux *maîtres du roman contemporain, Marcel Proust et André Gide, renouvellent l'analyse psychologique par la hardiesse et par la profondeur de leurs enquêtes. D'autres romanciers, Jules Romains, Roger Martin du Gard, Georges Duhamel, apparaissent avant tout comme des témoins de leur temps et composent de vastes fresques historiques. Le genre romanesque, plus fertile et plus foisonnant que jamais, s'épanouit dans les directions les plus diverses : Montherlant, Malraux, définissent, chacun à sa manière, un idéal de vie héroïque; Mauriac, Bernanos, chrétiens ardents, mettent l'accent sur les problèmes spirituels; Colette décrit les élans et les tourments de l'âme féminine; d'autres écrivains évoquent les rigueurs de la réalité sociale ou exaltent les beautés de la vie rustique; Jean-Paul Sartre enfin analyse en philosophe la conscience d'un homme moderne qui se heurte aux contradictions de l'existence et qui cherche le moyen de les surmonter.*

DATES ESSENTIELLES

1913-1928. — Marcel Proust : *A la Recherche du Temps perdu.*
1920-1932. — Georges Duhamel : Le cycle *Salavin.*
1922-1940. — Roger Martin du Gard : *Les Thibault.*
1923. — Colette : *La Maison de Claudine.*
1925. — André Gide : *Les Faux-Monnayeurs.*
1927. — François Mauriac : *Thérèse Desqueyroux.*
1932-1947. — Jules Romains : *Les Hommes de Bonne Volonté.*
1933. — André Malraux : *La Condition humaine.*
1936. — Georges Bernanos : *Journal d'un Curé de Campagne.*
1936-1939. — Henry de Montherlant : *Les Jeunes Filles.*
1938. — Jean-Paul Sartre : *La Nausée.*

I. — ENQUÊTES PSYCHOLOGIQUES

A. — MARCEL PROUST (1871-1922)

MARCEL PROUST, *tant que vécurent ses parents, habita avec eux, consacrant les nombreux loisirs d'une existence oisive à la fréquentation des salons parisiens; après la mort de sa mère, la maladie le contraignit à une retraite de plus en plus stricte, qu'il occupe à élaborer ses souvenirs en une longue suite romanesque.*

1. — LA CARRIÈRE DE PROUST

LA JEUNESSE MONDAINE Marcel Proust né à Paris, est le fils d'un médecin renommé. Dès l'âge de neuf ans, il subit les premières atteintes de l'asthme dont il souffrira toute sa vie; mais sa mère, sa grand' mère, entourent son enfance fragile des soins les plus tendres. Il suit, assez irrégulièrement, les cours du lycée Condorcet. L'été, il séjourne à Illiers, près de Chartres, dans la maison d'un de ses oncles; ou sur les plages normandes, à Trouville, à Dieppe, puis à Cabourg.

Très jeune, il est attiré par la vie mondaine. Il fréquente surtout les salons de Mme Straus, veuve remariée du compositeur Bizet; de l'aquarelliste Madeleine Lemaire; de Mme Arman de Caillavet. Il lie connaissance avec d'illustres représentants de l'aristocratie, comme le comte Robert de Montesquiou; avec des musiciens comme Reynaldo Hahn; avec des écrivains comme Anatole France. Lui-même aborde la littérature, mais en dilettante et en homme du monde : avec ses amis Fernand Gregh, Robert Dreyfus, Daniel Halévy, Robert de Flers, il fonde, en 1892, une revue, *Le Banquet*; puis il réunit des contes, portraits ou études en un luxueux album illustré par Madeleine Lemaire, *Les Plaisirs et les Jours* (1896); il esquisse un roman autobiographique, *Jean Santeuil*, publié en 1952; enfin, à partir de 1900, il traduit, avec l'aide de sa mère, divers ouvrages de l'esthéticien anglais Ruskin. Dans les milieux littéraires, il acquiert la réputation d'un amateur de haut goût.

LA RETRAITE FÉCONDE Marcel Proust a perdu son père en 1903, sa mère en 1905. Le chagrin, la maladie, l'éloignent du monde. Installé boulevard Haussmann, il se confine dans sa chambre, qu'il a fait tapisser de liège; il y reçoit quelques amis, mais voue la plus importante partie de son temps à la solitude et au travail. Il prépare un grand livre, où revivront, transposés, ses souvenirs.

Vers 1911, il se juge arrivé au bout de l'entreprise; mais plusieurs éditeurs se récusent. Bernard Grasset, enfin, accepte de publier, à compte d'auteur, la première partie de son roman cyclique, *Du Côté de chez Swann* (1913); le volume passe presque inaperçu. En revanche, au lendemain de la guerre, *A l'Ombre des Jeunes Filles en fleurs*, publié chez Gallimard, reçoit le prix Goncourt. La réputation de Proust bénéficie alors d'un extraordinaire engouement; et l'écrivain stimulé s'applique, en dépit de la maladie, à parfaire son œuvre, qui déborde le cadre primitivement conçu. Bientôt paraissent *Le Côté de Guermantes* (1920-21), *Sodome et Gomorrhe* (1922); puis, après sa mort, *La Prisonnière* (1924), *Albertine disparue* (1925), *Le Temps retrouvé* (1928). L'ensemble constitue une quinzaine de volumes, sous le titre collectif *A la Recherche du Temps perdu*.

¶ *A la Recherche du Temps perdu.*

Du côté de chez Swann. — Par l'effet d'une association fortuite, tout un passé revit dans la mémoire du Narrateur. Voici Combray (Illiers), où il a vécu, enfant, tant de jours heureux. En allant vers Méséglise, on rencontre la maison de M. Swann, un ancien clubman parisien qui a aimé, puis épousé après de cruelles épreuves la frivole Odette de Crécy. Marcel se sent attiré « du côté de chez Swann »; mais sa rêverie l'entraîne parfois aussi de l'autre côté, vers le prestigieux château de Guermantes. Quelques années plus tard, à Paris, Gilberte, la fille de Swann, devient sa compagne de jeux et inspire son premier amour.

A l'ombre des jeunes filles en fleurs. — Marcel fréquente assidûment chez les Swann. Gilberte, cependant, s'éloigne bientôt de lui et il finit par l'oublier à son tour. Sur la plage normande de Balbec, une petite bande de jeunes filles attire sa curiosité; il fait leur connaissance et distingue, parmi elles, Albertine Simonet.

Le côté de Guermantes. — A Paris, Marcel éprouve une vive passion pour la duchesse de Guermantes; il aspire en vain à être reçu chez elle. La mort de sa grand'mère, les débuts d'une liaison avec Albertine, détournent le cours de ses préoccupations. Introduit enfin chez les Guermantes, il apprend à connaître la glorieuse et secrète aristocratie du faubourg Saint-Germain.

Sodome et Gomorrhe. — Au premier plan du récit apparaît M. de Charlus, frère du duc de Guermantes, un aristocrate aux allures déconcertantes, tour à tour cruel et bon, impérieux et humble, grossier et délicat, dont la bizarrerie s'explique par des goûts anormaux. D'autres salons, cependant, demeurent ouverts à la curiosité du narrateur, en particulier celui de la bourgeoise Mme Verdurin. Bientôt, il retourne à Balbec, retrouve « la petite bande », découvre avec stupéfaction les mœurs étranges d'Albertine et, sous l'empire de la jalousie, sent cheminer en lui une passion torturante.

La Prisonnière. Albertine disparue. — Albertine accepte de vivre à Paris chez Marcel; mais, tout en la tenant prisonnière, il sent qu'elle lui échappe. Un matin, elle disparaît; il apprend bientôt sa mort accidentelle; mais il souffre rétrospectivement de ses trahisons et ne conquiert le calme qu'à grand'peine.

Le temps retrouvé. — La guerre survient. Le Narrateur observe avec ironie ou mélancolie les transformations de la société qu'il a décrite. Comme il se rend à une matinée chez la princesse de Guermantes, il découvre en une illumination la vérité qui éclaire et justifie son récit : fixer en une œuvre les moments d'un passé enfui, c'est retrouver le temps perdu.

2. — L'EXPÉRIENCE DE PROUST

Avec une liberté qui est la loi même de la création romanesque, Marcel Proust a transposé dans son œuvre les multiples aspects de son expérience.

LE MONDE DE L'ENFANCE — *Proust a connu la douceur d'une enfance exceptionnellement heureuse et choyée : ces années de bonheur revivent dans les premiers volumes du roman.* Il rappelle la tendresse d'une mère qui, chaque soir, venait lui donner dans son lit un baiser impatiemment attendu; les manies d'une tante provinciale; la dignité naïve d'une vieille servante. Il décrit la maison d'Illiers, les clochers avoisinants, les nymphéas de la Vivonne, une haie d'aubépines au bord du Loir. Il évoque aussi l'allée des Champs-Elysées où il se rendait parfois le jeudi, le dimanche et après les heures de lycée : en songeant aux petites filles qui partageaient ses jeux, il crée l'image idéale de Gilberte Swann. Ce monde enfantin lui apparaît, à la lumière du souvenir, comme un paradis terrestre, orné de toutes les grâces et de tous les prestiges.

LE MONDE DES SALONS — *Proust a observé les usages de la société mondaine : il en rend compte avec minutie.* S'il n'existe de clef unique pour aucun de ses personnages, tous, cependant, sont peints d'après nature : Swann, d'ailleurs si proche du narrateur, ressemble, avec ses cheveux roux taillés en brosse, à un membre du Jockey-Club nommé Charles Haas, mais doit à un autre israélite, Charles Ephrussi, la qualité de son érudition; le baron de Charlus a les manières insolentes et brusques du comte Robert de Montesquiou, mais l'aspect physique et les mœurs d'un certain baron Doazan. Par ce procédé d'amalgame s'est constituée toute une galerie de types sociaux : la duchesse de Guermantes, avec son esprit et sa dureté, incarne l'orgueil aristocratique; Mme Verdurin, avec sa sottise et son ignorance, illustre le snobisme bourgeois. Ce monde des salons, si longtemps recherché par l'écrivain, est jugé désormais avec une sévérité qui, du reste, n'exclut pas l'humour.

LE MONDE DES PASSIONS — *Proust a étudié le mécanisme de la passion amoureuse : il en donne maint exemple d'une lucidité cruelle.* Lorsque Swann s'attache à Odette, il la pare en imagination de toutes les vertus; mais l'inquiétude succède bien vite à l'enthousiasme, et aussi la déception de ne pouvoir pénétrer dans l'univers secret de celle qu'il aime; puis il s'aperçoit qu'Odette s'éloigne de lui : alors, le doute, la jalousie, en nourrissant son tourment, exaspèrent son amour, qu'une séparation prolongée finira par détruire. Le Narrateur est envoûté, lui aussi, lorsqu'il s'éprend de Gilberte ou d'Albertine, et traverse des épreuves semblables avant d'atteindre à l'oubli. Les aventures ainsi imaginées se déroulent donc toutes selon une loi constante, dont le romancier a lui-même connu, avec d'autres modalités, l'inflexible rigueur. Ce monde des passions est un monde tragique, où l'âme, d'abord exaltée par l'illusion, s'épuise dans la souffrance pour sombrer enfin dans le désenchantement.

3. — LA PHILOSOPHIE DE PROUST

Marcel Proust a voulu marquer toute son œuvre au sceau du *Temps*. Il montre la cruauté de sa tyrannie; mais il croit à la possibilité d'une délivrance, dont le dernier volume de sa suite romanesque apporte l e secret.

LA SUJÉTION AU TEMPS *Proust constate avec angoisse l'écoulement, la corruption, puis la destruction des choses et des êtres par le Temps.* Le paradis enfantin est perdu; la mort nous prive des parents que nous avons passionnément aimés; et notre cœur ne conserve d'eux qu'un souvenir intermittent. L'amour, pure création de notre esprit, est un mirage qui découvre, en se dissipant, une réalité vulgaire. La vie sociale, les « grandes situations », n'ont pas davantage d'existence réelle : les milieux aristocratiques s'écroulent; le faubourg Saint-Germain se dissout; les usages mondains révèlent leur vanité. Ainsi donc le monde extérieur ne nous procure que des expériences décevantes.

Notre être, tant physique que mental, n'échappe pas à la loi commune. Le temps exerce ses ravages sur nos corps : pour métamorphoser en quelques années une blonde valseuse en une grosse dame à cheveux blancs et à la démarche pesante, il accomplit « plus de dévastations que pour mettre un dôme à la place d'une flèche. » Quant à la vie de notre esprit, instable et incohérente, elle apparaît comme une succession de périodes où rien de ce qui soutenait la précédente ne subsiste plus dans celle qui la suit : « la désagrégation du moi est une mort continue ».

LA VICTOIRE SUR LE TEMPS *Le passé, pourtant, ne meurt pas à jamais; il reste enfoui dans les profondeurs de notre inconscient, sous forme d'impressions évanouies, mais toujours prêtes à reparaître* : « Quand d'un passé ancien rien ne subsiste après la mort des êtres, après la destruction des choses, seules, plus frêles, mais plus vivaces, plus immatérielles, plus persistantes, plus fidèles, l'odeur et la saveur restent encore longtemps, comme des âmes, à se rappeler, à attendre, à espérer sur la ruine de tout le reste, à porter sans fléchir, sur leur gouttelette presque impalpable, l'édifice immense du souvenir. » (*Du côté de chez Swann.*)

Ces moments de résurrection se produisent lorsqu'une sensation présente rappelle à notre mémoire affective une sensation éprouvée autrefois. Ainsi le contact d'une serviette empesée sur ses lèvres rappelle au Narrateur une sensation identique ressentie jadis au Grand-Hôtel, à Balbec : aussitôt mille détails ressuscitent en lui et raniment les émotions de sa vie passée. En vivant à la fois dans deux instants distincts, nous éprouvons le sentiment d'échapper aux servitudes de la durée et d'accéder à une sorte d'éternité.

Mais de telles associations sont rares et fugitives. Elles ne nous apporteraient qu'une joie précaire, sans le concours actif de notre esprit, qui doit répondre à ces appels spontanés et tirer de nos intuitions fugaces, au prix d'un effort douloureux, une vérité essentielle et permanente. *Cette élaboration, qui consacre de façon définitive notre victoire sur le Temps, est le propre de l'Art.*

4. — L'ART DE PROUST

Selon Marcel Proust, la création esthétique permet seule de pénétrer l'essence du monde, dont l'expérience commune ne distingue que des aspects illusoires. Sa conscience d'artiste s'applique continuellement à rendre évidente, au sein de son œuvre, la présence d'une réalité absolue.

LA MYSTIQUE DE L'ART — *L'art, aux yeux de Proust, prend la valeur d'une religion. Tout chef-d'œuvre implique la révélation d'une vérité suprême et résonne en nous comme un « appel vers une joie supra-terrestre ».* Tout artiste est un prêtre qui accomplit comme un sacerdoce les rites d'une initiation. Lorsque Vermeer peint, dans sa *Vue de Delft*, un petit pan de mur jaune, il le transfigure par son génie au point d'exprimer sur sa toile toute la poésie divine qui se cache sous les plus humbles apparences. De même, un motif musical jailli des profondeurs d'une âme inspirée apporte à l'âme de l'auditeur l'écho d'une patrie céleste dont la vulgarité des contingences lui avait fait perdre le souvenir. Ainsi, par l'intercession des grands peintres ou des grands musiciens, nous arrivons à connaître « cette réalité loin de laquelle nous vivons... et qui est tout simplement notre vie, la vraie vie, la vie enfin découverte et éclaircie. »

LA MÉTHODE DE L'ARTISTE — *L'artiste ne peut dès lors se contenter d'un réalisme étroit qui reproduit les apparences au lieu de les dépasser. La vision vraie n'est pas la vision commune qui ramène l'objet à des lignes grossières, mais la vision enrichie des multiples nuances qu'y associe le souvenir :* « La vue, par exemple, de la couverture d'un livre déjà lu a tissé dans les caractères de son titre les rayons de lune d'une lointaine nuit d'été. » Créer une œuvre d'art, c'est donc exercer avec méthode cette mémoire affective dont la plupart des hommes négligent d'approfondir les suggestions et saisir ainsi des relations insoupçonnées.

LES PROCÉDÉS DE L'ÉCRIVAIN — *Pour exprimer ces relations, l'écrivain recourt tout naturellement à la métaphore*, qui, entre deux objets, met en évidence une analogie implicite (« A l'ombre des jeunes filles en fleurs »), ou même à la comparaison en forme, filée parfois tout au long d'une phrase sinueuse : « La haie (d'aubépines) formait comme une suite de chapelles qui disparaissaient sous la jonchée de leurs fleurs amoncelées en reposoir; au-dessous d'elles, le soleil posait à terre un quadrillage de clarté, comme s'il venait de traverser une verrière; leur parfum s'étendait aussi onctueux, aussi délimité en sa forme que si j'eusse été devant l'autel de la Vierge, et les fleurs, aussi parées, tenaient chacune d'un air distrait son étincelant bouquet d'étamines, fines et rayonnantes nervures de style flamboyant comme celles qui à l'église ajouraient la rampe du jubé ou les meneaux du vitrail, et qui s'épanouissaient en blanche chair de fleur de fraisier. » La fraîcheur et la profusion des images qui surgissent ainsi à chaque page entretiennent dans toute l'œuvre un climat d'intense poésie.

LA « MADELEINE ».
Aquarelle de Van Dongen. (Édition Gallimard, 1947.)

« ... Un jour d'hiver, comme je rentrais à la maison, ma mère, voyant que j'avais froid, me proposa de me faire prendre, contre mon habitude, un peu de thé... Elle envoya chercher un de ces gâteaux courts et dodus appelés Petites Madeleines qui semblent avoir été moulés dans la valve rainurée d'une coquille de Saint-Jacques. Et bientôt, machinalement, accablé par la morne journée et la perspective d'un triste lendemain, je portai à mes lèvres une cuillerée du thé où j'avais laissé s'amollir un morceau de madeleine. Mais à l'instant même où la gorgée mêlée des miettes du gâteau toucha mon palais, je tressaillis, attentif à ce qui se passait d'extraordinaire en moi. Un plaisir délicieux m'avait envahi, isolé, sans la notion de sa cause... J'avais cessé de me sentir médiocre, contingent, mortel. D'où avait pu me venir cette puissante joie ?... Je pose la tasse et me tourne vers mon esprit. C'est à lui de trouver la vérité... » (Marcel Proust, Du Côté de chez Swann, t. I, Gallimard édit.)

B. — ANDRÉ GIDE (1869-1951)

ANDRÉ GIDE *reçut une éducation sévère, puis s'émancipa. Mais l'inquiétude n'a jamais cessé de l'habiter; et les récits de sa maturité attestent les hésitations de sa pensée. L'apaisement vient dans les dernières années, avec une plus parfaite connaissance de soi-même, dont témoignent les œuvres autobiographiques.*

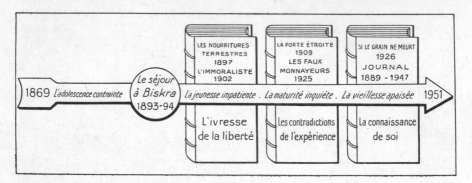

1. — *LA CARRIÈRE DE GIDE*

L'ADOLESCENCE CONTRAINTE André Gide, « né à Paris d'un père uzétien et d'une mère normande », grandit dans une atmosphère puritaine, qu'il devait évoquer dans *Si le Grain ne meurt*. Après des études irrégulières, il fréquente les cercles littéraires d'avant-garde, mais demeure sous la tutelle familiale. Les *Cahiers d'André Walter* (1891) révèlent son incertitude anxieuse et ses aspirations vagues.

LA JEUNESSE IMPATIENTE En octobre 1893, Gide, menacé de tuberculose, part pour l'Afrique du Nord; il hiverne à Biskra, où il retrouve la santé et la joie de vivre. Au retour, la vie confinée des hommes de lettres parisiens lui apparaît dérisoire : il s'en moque dans une « sotie », *Paludes* (1895). L'ivresse de la liberté qu'il a connue éclate dans la prose lyrique des *Nourritures terrestres* (1897) et se discerne encore dans les épisodes d'un récit en partie autobiographique, *L'Immoraliste* (1902).

¶ *Les Nourritures terrestres.*

L'écrivain s'adresse à un jeune homme qu'il appelle Nathanaël; il se propose de lui révéler la vie véritable, au contact de la terre et de ses joies. Il vante l'exaltation du désir, la fièvre de l'attente, la vertu de l'enthousiasme. Il célèbre l'agrément du voyage, la beauté des fleurs et la saveur des fruits. Il évoque ses propres découvertes et ses souvenirs du paradis africain, Que Nathanaël sache partir à son tour pour vivre son aventure! Qu'il sache jouir des choses et promène sur le monde un regard indéfiniment ébloui!

¶ *L'Immoraliste.*

Michel, peu de temps après avoir épousé Marceline, tombe malade et crache le sang; sa jeune femme le soigne avec un dévouement admirable. Un séjour à Biskra, puis un voyage à travers l'Afrique du Nord, l'aident à recouvrer la santé. Guéri, il subit, à Paris, l'influence du cynique Ménalque et s'abandonne au plaisir. Marceline, cependant, tombe malade à son tour; mais au lieu de lui donner les soins qu'exige son état, il l'entraîne de nouveau en Afrique du Nord où, délaissée, elle s'épuise et meurt.

LA MATURITÉ INQUIÈTE Gide se garde d'ériger en maxime l'égoïsme de son immoraliste. Marié avec sa cousine, il mène une existence bourgeoise, traversée seulement de crises intérieures ou secrètes. La plupart de ses œuvres vont révéler désormais une oscillation ou un conflit entre l'aventure et la sagesse, le plaisir et le sacrifice. A Michel, il oppose Alissa, l'héroïne de *La Porte étroite* (1909), qui refuse le bonheur terrestre et choisit pour mériter le ciel la voie ingrate du renoncement. Au jeune anarchiste Lafcadio, qui, dans une nouvelle « sotie » aux épisodes saugrenus, *Les Caves du Vatican* (1914), bafoue en se jouant les lois de la société, succède le héros déjà mûr de *La Symphonie pastorale* (1919), un homme d'Église grave et scrupuleux, qui lutte avec désespoir contre ses tentations. Quant aux *Faux-Monnayeurs* (1925), c'est un roman aux aspects multiples, où sont réunis les éléments contradictoires de l'expérience gidienne.

¶ La Porte étroite.

Jérôme, après une enfance fragile, est devenu amoureux d'Alissa. Un jour, au temple, ils entendent tous deux le verset que le pasteur a choisi comme thème de sermon : « Efforcez-vous d'entrer par la porte étroite, car la porte large et le chemin spacieux mènent à la perdition. » Alissa, cependant, sent monter en elle une tendresse profonde pour Jérôme. Les deux jeunes gens paraissent donc appelés à un bonheur commun. Pourtant, Alissa lutte contre elle-même : sans laisser ignorer son amour à Jérôme, elle semble vouloir le détacher d'elle. Est-ce pour tenter d'assurer, par son sacrifice, le bonheur de sa sœur Juliette ? Son journal, découvert après sa mort prématurée, révèle qu'elle a obéi surtout à des raisons d'ordre mystique ; elle a choisi la porte étroite, en répétant après Pascal : « Tout ce qui n'est pas Dieu ne peut pas remplir mon attente. »

¶ Les Faux=Monnayeurs.

Bernard Profitendieu quitte sa famille, où il pense avoir vécu jusque-là dans une atmosphère de mensonge. Il demande asile à son camarade Olivier, puis rencontre Édouard, l'oncle d'Olivier, un romancier qui s'est donné pour tâche essentielle de pénétrer les mobiles secrets des êtres. Olivier, de son côté, se hasarde dans les milieux littéraires et se lie avec un écrivain faisandé, Passavant. Les pages du journal où Edouard consigne ses observations quotidiennes alternent avec les extraits de la correspondance échangée entre Bernard et Olivier. De nombreux épisodes secondaires s'entrelacent au récit principal : ainsi, le jeune frère d'Olivier se trouve mêlé à une affaire de fausse monnaie. Édouard, cependant, finit par arracher Olivier à l'influence de Passavant ; Bernard, après de décevantes aventures, retourne, tel l'enfant prodigue, au foyer familial.

LA VIEILLESSE APAISÉE Depuis 1889, Gide tenait un *Journal*, qui a figuré, en 1932, parmi ses *Œuvres complètes* ; il l'enrichit au cours des années suivantes et le publie sous une forme plus accessible en 1939 ; jusqu'en 1947, il y ajoute de nouvelles pages : c'est un document de grand prix sur sa personne, sur son œuvre et sur son temps. Désormais, il adopte l'attitude d'un sage moderne qui, fort de son expérience, tâche d'en tirer de valables leçons. Dans un traité qui porte le nom de *Thésée* (1944), il prête au fondateur légendaire de la démocratie athénienne des paroles où semble percer sa propre fierté d'avoir rempli, malgré les faiblesses et les erreurs de sa vie, une mission authentiquement créatrice : « J'ai fait ma ville. Après moi, saura l'habiter immortellement ma pensée. C'est consentant que j'approche de la mort solitaire. J'ai goûté des biens de la terre. Il m'est doux de penser qu'après moi, grâce à moi, les hommes se reconnaîtront plus heureux, meilleurs et plus libres. Pour le bien de l'humanité future, j'ai fait mon œuvre. J'ai vécu. » L'attribution du prix Nobel, en 1947, consacre sa gloire.

2. — *LA MÉTHODE DE GIDE*

André Gide a renouvelé le roman psychologique par la hardiesse et par la profondeur de ses analyses. Il s'est pris lui-même, le plus souvent, pour sujet de son enquête et n'a cessé de s'interroger avec une franchise lucide, mettant ainsi au jour les contradictions de sa pensée ou de son cœur.

LE CULTE DE LA SINCÉRITÉ *L'œuvre d'André Gide est dominée par la haine du mensonge et par une exigence permanente de sincérité.* Gide dénonce l'hypocrisie sous toutes ses formes et flétrit, chez les hommes les plus respectés, la « fausse monnaie » des attitudes ou des sentiments. Il s'est donné pour règle de livrer sa pensée profonde, souvent au mépris du respect humain : *Si le Grain ne meurt*, le *Journal*, renferment, sur ses goûts intimes, des aveux d'une tranquille audace. Dans la plupart de ses récits, la fiction voile à peine la confidence.

Ce parti pris requiert un effort quotidien. Gide a gardé l'empreinte de son éducation protestante et n'a jamais cessé de pratiquer l'examen de conscience. Il note ses doutes, ses hésitations, ses revirements. Longtemps, il demeure éloigné de toute foi religieuse; mais en 1915 il est envahi par la nostalgie des certitudes qui l'ont abandonné : il décrit alors ses préoccupations spirituelles dans les feuillets, aujourd'hui incorporés au *Journal*, de *Numquid et tu?* De même, il est resté indifférent, jusque vers la soixantième année, aux problèmes politiques et sociaux; puis il découvre le marxisme : il se reproche alors, dans une suite aux *Nourritures terrestres*, d'avoir « vécu trop prudemment » et proclame son adhésion à la doctrine communiste; déçu enfin par un séjour en U. R. S. S., il publie deux plaquettes pour exposer les raisons de son désenchantement.

LE SENS DE LA COMPLEXITÉ *En fait, Gide ne parvient pas, malgré cet effort, à découvrir une vérité stable.* Aussi se défie-t-il des esprits à système qui, comme La Rochefoucauld, rattachent toutes leurs observations morales à un principe unique. « Le jour où La Rochefoucauld s'avisa de ramener et réduire aux incitations de l'amour-propre les mouvements de notre cœur, je doute s'il fit tant preuve d'une perspicacité singulière, ou plutôt s'il n'arrêta pas l'effort d'une plus indiscrète investigation... Et je ne lui reproche pas de dénoncer l'amour-propre; je lui reproche parfois de s'en tenir là... » De même reproche-t-il à la tragédie française du XVIIᵉ siècle d'avoir présenté aux spectateurs des caractères permanents, donc artificiels. Il pense, au contraire, comme Montaigne, que l'homme est une créature essentiellement diverse; il admire Dostoïevski pour avoir su explorer le gouffre intérieur des consciences. Quant à lui, il n'éprouve aucune honte à paraître se déjuger : « Chacun de mes livres se retourne contre les amateurs du précédent. » Il lui arrive, dans un même ouvrage, de cultiver l'ambiguïté : nous ne pouvons décider s'il approuve ou s'il condamne, dans *La Porte étroite*, le sacrifice d'Alissa. *Perpétuellement, il pose des questions ; mais il se dérobe souvent à la réponse* : « Je suis un être de dialogue et non point d'affirmation », écrivait-il au critique Paul Souday.

Photo Dominique Darbois.

André Gide dans sa bibliothèque.

3. — LES ENSEIGNEMENTS DE GIDE

Quoique hostile à tous les dogmatismes, André Gide a voulu lancer un message aux hommes de son temps. Son influence, tardive, fut considérable et suscita, vers les années 1920-1930, des controverses violentes. On doit pouvoir la définir et la juger aujourd'hui avec sérénité.

LA FERVEUR HUMAINE — *Gide annonce déjà son art de vivre dans cet appel des « Nourritures » : « Nathanaël, je t'enseignerai la ferveur. »* Mais l'adolescent disposé à suivre ses leçons devra commencer par se libérer des contraintes qui entravent son élan vers les joies de la terre : « Je voudrais (que ce livre) t'eût donné le désir de sortir de n'importe où, de ta ville, de ta famille, de ta pensée. » Un tel précepte, littéralement interprété et mal compris, mène à de périlleuses aventures et contribua sans doute à égarer certains esprits. Il signifie surtout que chacun doit chercher seul sa vérité et construire seul son bonheur.

Gide s'est d'ailleurs constamment préoccupé, pour écarter l'accusation d'égoïsme, d'élargir sa formule initiale. « Donnez-moi des raisons d'être », demande le héros de L'Immoraliste. A quoi bon s'être libéré, si l'on ne sait pas se servir de sa liberté ? Comment maintenir en soi la ferveur, si l'on ne lui propose sans cesse de nouveaux objets ? Gide alimente la sienne par une curiosité perpétuelle et passionnée qui l'attire vers ses semblables; en toute occasion, il s'efforce d' « assumer le plus possible d'humanité ». Vient-il de siéger dans un jury d'assises ? il pèse la cause qui lui a été soumise et songe à une réforme possible de la Justice. A-t-il visité le Tchad ou le Congo ? il obtient, à son retour, l'ouverture d'une enquête sur les abus de certains colons. *Il croit que la bonne volonté de quelques-uns, parmi lesquels il se range, peut aider au bonheur de tous.* « Le monde sera ce que vous le ferez », proclame-t-il dans l'un de ses derniers messages à la jeunesse; et la foi qu'il conserve en elle lui permet « de ne pas mourir désespéré ».

LA RIGUEUR FORMELLE — *Gide professe une doctrine littéraire dont la rigueur contraste avec la licence de son attitude morale : « L'art naît de contrainte, vit de lutte et meurt de liberté. »* Parmi les disciplines traditionnelles, celles du style sont les seules qu'il ait toujours eu à cœur d'observer. S'il emploie parfois des tours ou des termes hardis, c'est qu'il les juge conformes au génie de la langue; mais il ne relâche jamais le contrôle de son expression : le scrupule de pureté grammaticale l'entraîne même à quelques abus, notamment dans l'emploi des imparfaits du subjonctif. Ses goûts d'artiste l'attirent vers le classicisme, dont il admire la discrétion et le dépouillement. Attentif au choix du mot juste, sévère aux fausses séductions du pittoresque, il donne un exemple de sobriété limpide qui est la plus nette et la plus constante de ses leçons.

C. — LE ROMAN D'ANALYSE

**JACQUES
CHARDONNE
(né en 1884)**

Jacques Chardonne, natif de la Charente, publia son premier roman à trente-sept ans. *L'Epithalame* (1921) est l'histoire d'un couple : Albert et Berthe se connaissent très jeunes, se sentent attirés l'un vers l'autre et se marient; des blessures d'amour-propre, des heurts, des tentations minent peu à peu leur union, jusqu'au jour où ils découvrent dans le sentiment paisible de leur intimité un lien plus solide que l'amour. Comme *L'Epithalame*, *Les Varais* (1929), *Eva* (1930), *Romanesque* (1937) étudient des conflits du couple humain. Chardonne a aussi composé une trilogie familiale : *Les Destinées sentimentales* (1934-1936) et un livre de souvenirs : *Le Bonheur de Barbezieux* (1938).

Humaniste délicat, Jacques Chardonne s'applique à décrire dans toutes ses nuances le mystère du cœur humain. Une poésie tendre et désenchantée émane du récit, qui se déroule, au fil des années, avec une lenteur paisible.

**JACQUES
DE LACRETELLE
(né en 1888)**

Jacques de Lacretelle, originaire du Mâconnais, est le fils d'un diplomate. Après avoir évoqué discrètement les souvenirs de son adolescence dans *La Vie inquiète de Jean Hermelin* (1920), il écrit un court roman, *Silbermann* (1922), auquel il donne une suite en 1930, *Le Retour de Silbermann* : le héros, un israélite subtil et persuasif, nourrit l'ambition d'allier au génie de la France l'esprit critique de sa race; mais il est en butte, dans sa jeunesse, à la haine de ses camarades et, plus tard, il mène une vie misérable parce que, malgré tous ses dons, il manque d'esprit créateur. *La Bonifas* (1925) dépeint la destinée solitaire d'une femme au tempérament viril, dans le cadre d'une petite ville de province. De 1932 à 1936, Lacretelle publie le cycle des *Hauts-Ponts* : c'est, étalée sur trois générations, l'histoire d'une famille vendéenne qui se désagrège parce que ses membres sont animés par des passions opposées.

Jacques de Lacretelle est un analyste amer et lucide de l'âme humaine. Il pénètre dans les « régions secrètes et douloureuses » des consciences et s'attache particulièrement « aux êtres injustement persécutés ou incompris en raison de leur pureté intacte et de leur sensibilité ». Le récit, bien équilibré, vise à l'essentiel; le style, châtié, est d'une lumineuse clarté.

**MARCEL ARLAND
(né en 1899)**

Marcel Arland, né dans la Haute-Marne, obtint le prix Goncourt en 1929 avec *L'Ordre* : le héros de ce roman, Gilbert Villars, est un individualiste agressif et destructeur, qui répand le malheur dans son entourage. Marcel Arland se consacra ensuite au genre de la nouvelle (*Antarès*, 1932) et du conte (*Les Vivants*, 1934; *Les plus beaux de nos jours*, 1937, recueils de Contes). Il s'est aussi fait connaître dès 1926 comme critique par un article de la N. R. F. où il discernait dans le mouvement dada un « nouveau mal du siècle ».

Dans ses romans comme dans ses contes, Marcel Arland pratique l'art des sous-entendus : ses personnages laissent deviner le secret de leurs âmes à travers la banalité voulue de leurs propos. Le style est d'une stricte simplicité.

II. — FRESQUES HISTORIQUES

A. — JULES ROMAINS (né en 1885)

LA CARRIÈRE DE JULES ROMAINS Louis Farigoule, dit Jules Romains, est né au hameau de la Chapuze, près du Puy-en-Velay : il a toujours conservé une pensée fidèle pour ce rude pays de montagne, qui fut le berceau de sa famille. Il se fixe pourtant de bonne heure à Paris, où son père a été appelé comme instituteur; et il s'attache passionnément à la grande ville, à ses faubourgs, à sa banlieue. Après des études secondaires au lycée Condorcet, il entre, en 1906, à l'École Normale Supérieure et passe, en 1909, l'agrégation de philosophie : il enseigne successivement à Brest, à Laon, à Nice. Depuis la vingtième année, il s'adonne à la littérature : promoteur de la doctrine unanimiste, il s'efforce de l'illustrer, non seulement dans des poèmes, mais dans des récits en prose, *Le Bourg régénéré* (1906), *Mort de Quelqu'un* (1911) et même *Les Copains* (1913), où l'on assiste à la subversion de paisibles cités auvergnates par une équipe de joyeux mystificateurs. Après la guerre de 1914-1918, Jules Romains quitte l'Université. La poésie lui tient toujours à cœur et le théâtre l'attire; mais c'est au roman qu'il apporte l'essentiel de ses soins : sur le thème de l'amour, il compose une trilogie, *Psyché* (1922-1929); puis il se consacre aux *Hommes de Bonne Volonté*, dont les vingt-sept volumes paraissent de 1932 à 1947.

LES HOMMES DE BONNE VOLONTÉ *Les Hommes de Bonne Volonté* sont une immense fresque de la société française pendant un quart de siècle. L'action du premier volume se déroule tout entière le 6 octobre 1908, parmi les menaces de l'avant-guerre; celle du dernier, le 7 octobre 1933, quelques mois après l'arrivée au pouvoir de Hitler.

L'intention. — *Dans sa préface, Jules Romains rattache le dessein de son roman à l'unanimisme et souligne ainsi la continuité de son œuvre littéraire :* « Dès l'époque où j'écrivais *La Vie unanime*, je sentais qu'il me faudrait entreprendre tôt ou tard une vaste fiction en prose, qui exprimerait dans le mouvement et la multiplicité, dans le détail et le devenir, cette vision du monde moderne dont *La Vie unanime* chantait d'emblée l'émoi initial. » Il n'a pas voulu, comme Balzac ou Zola, écrire des récits distincts, rattachés seulement les uns aux autres par le fil d'une idée directrice et par le procédé de la réapparition des personnages; ni, comme Hugo dans *Les Misérables* ou Romain Rolland dans *Jean-Christophe*, une suite d'aventures ordonnées autour d'un héros. Renonçant à une vision du monde « centrée sur l'individu », il prend pour sujet « un vaste ensemble humain, avec une diversité de destinées individuelles qui y cheminent chacune pour leur compte, en s'ignorant la plupart du temps ».

La composition. — *A un dessein aussi neuf doit correspondre une méthode originale de composition. Au lieu de conduire une intrigue unique, le romancier mène de front les récits d'aventures diverses, qui n'ont souvent entre elles aucun lien, tout en contribuant à définir une époque.* Jamais le député Gurau ne rencontrera l'ouvrier métallurgiste Maillecotin; jamais le petit Louis Bastide ne connaîtra le comte de Champcenais : chacun de ces personnages subit à sa manière, dans un milieu bien distinct, le contrecoup des événements qui entraînent la société tout entière vers son destin. L'écueil de cette méthode est la dispersion de l'intérêt. Heureusement, dans presque tous les volumes, l'accent est mis sur une aventure déterminée; le lecteur, sans perdre de vue la multiplicité des chemins à parcourir, peut s'engager assez profondément dans l'un ou dans l'autre : il suit l'ascension du brasseur d'affaires Haverkamp (V, *Les Superbes*), les recherches du physiologiste Viaur (XII, *Les Créateurs*), la progression du danger de guerre (IX, *Montée des Périls*; X, *Les Pouvoirs*; XIV, *Le Drapeau noir*); il prend une vue d'ensemble sur une bataille décisive (XV, *Prélude à Verdun*; XVI, *Verdun*) ou s'attache à une fraîche idylle dans le calme de la paix retrouvée (XVIII, *La Douceur de la Vie*).

La documentation. — *La diversité des sujets abordés exige, de la part du narrateur, des connaissances extrêmement étendues.* Pendant dix ans, Jules Romains a accumulé, pour son roman, notes et enquêtes sur les questions les plus diverses; aussi peut-il décrire avec un grand luxe de détails le mécanisme d'une société immobilière, d'une élection académique ou d'une crise ministérielle. Pourtant, les pages qui rendent le son le plus juste sont celles qu'il a tirées de sa propre expérience; ses deux personnages les plus réussis sont les normaliens Jerphanion et Jallez, qui tous deux lui ressemblent : l'un, le montagnard Jerphanion, plus actif, plus tenace; l'autre, le parisien Jallez, plus artiste, plus dilettante; tous deux d'ailleurs rayonnants d'intelligence critique et de « bonne volonté ».

La leçon. — *La foi dans la bonne volonté est l'idée-force qui guide et soutient le romancier tout au long de son exploration diffuse.* Comme Gide, Romains se refuse à désespérer de l'avenir. Il ne méconnaît pas les tragiques difficultés où se débat le monde moderne; mais il pense qu'elles pourraient être vaincues un jour par l'élan des hommes éclairés et généreux, plus nombreux, sans doute, qu'on ne croit. Il rêve de rassembler autour de son œuvre les membres de cette famille éparse, dont il définit ainsi l'orientation d'esprit : « Un certain goût de la liberté et de l'honnêteté intellectuelle; une certaine tendresse, exempte de naïveté et de faux-semblants, pour l'aventure du genre humain... un penchant... pour le rire vengeur, la joie de vivre quand même.... Une horreur fondamentale pour la bêtise, la violence, le crime collectif, d'où procèdent tous les maux. Par suite, certaines attitudes envers les événements, envers les incarnations toujours renaissantes du mensonge, de la tyrannie, de la cruauté, du délire fanatique. » Ainsi s'achève en une perspective peut-être chimérique, mais réconfortante, le tableau d'une époque particulièrement sombre et tourmentée.

B. — ROGER MARTIN DU GARD (1881-1958)

**LA CARRIÈRE
DU ROMANCIER**
Roger Martin du Gard, chartiste, archiviste-paléo-graphe, a conservé, de sa formation, le respect de la vérité historique et des méthodes scientifiques. Il s'est toujours tenu à l'écart des milieux littéraires, mais subit l'influence de Romain Rolland et aussi d'André Gide, dont il devint l'ami. Son premier livre important, *Jean Barois* (1913), décrit l'évolution d'un intellectuel qui, parmi les remous de l'affaire Dreyfus, perd la foi de son enfance et adhère, après de cruels débats de conscience, aux doctrines du matérialisme scientiste, pour revenir enfin à la religion dans le désarroi de la maladie. Son talent d'écrivain s'affirme encore dans des farces villageoises, puis dans une nouvelle sobre et hardie, *La Confidence africaine*, et dans des tableaux de mœurs paysannes, *Vieille France*. Mais la notoriété lui vint d'un roman cyclique en sept parties et un épilogue, *Les Thibault* (1922-1940).

¶ Les Thibault.

M. Oscar Thibault est un grand bourgeois catholique d'extrême-droite, dur, orgueilleux, obstiné dans ses préjugés de classe. Pour couper court à l'amitié exaltée qui unit son fils Jacques au jeune protestant Daniel de Fontanin (*Le Cahier gris*), il le fait interner dans une maison de redressement qui compte parmi ses « bonnes œuvres » (*Le Pénitencier*). Libéré, le jeune homme s'abandonne à son amour pour Jenny de Fontanin et demeure dressé contre son père (*La Belle Saison*). Son frère aîné, Antoine, a pu s'affranchir sans créer de scandale : médecin, il se consacre à sa profession avec une ferveur passionnée (*La Consultation*); Oscar Thibault reçoit, avant de mourir, ses soins admirables (*La Sorellina; La Mort du Père*). Mais Jacques, lui, a fini par rompre toutes les attaches; en Suisse, où il s'est réfugié, il fréquente des milieux révolutionnaires; lorsque la guerre éclate, il sacrifie sa vie dans un raid de propagande pacifiste au-dessus des lignes (*Eté 1914*). Antoine, miné par la guerre, meurt anxieux et désenchanté (*Épilogue*).

**L'INTÉRÊT
DES THIBAULT**
En peignant la vie d'une famille bourgeoise pendant les premières années du siècle, Roger Martin du Gard a voulu demeurer toujours objectif et mesuré. Mais l'honnêteté de sa peinture ne l'a pas empêché de prendre implicitement parti. Oscar Thibault lui apparaît évidemment comme le symbole d'un ordre suranné : il lui oppose deux représentants d'une génération nouvelle, entre lesquels semble osciller sa sympathie. Antoine, esprit méthodique et positif, ne se flatte pas de peser sur le destin collectif de ses semblables et choisit de venir en aide aux misères individuelles; Jacques, dans son idéalisme passionné, lutte pour la sauvegarde de la paix, pour l'avènement de la révolution sociale. Leur double défaite illustre la tristesse du romancier lui-même qui, témoin d'une époque cruelle, ne veut pas se leurrer sur les chances d'un salut prochain.

Roger Martin du Gard est un artiste scrupuleux. Il ne cherche ni le pittoresque, ni l'éclat, mais la vigueur de la composition, la justesse du trait, la sûreté de l'expression. Dans *La Consultation*, dans *La Mort du Père*, il soutient d'un bout à l'autre l'intérêt pathétique grâce à la maîtrise d'un art dépouillé qui parvient à créer l'illusion exacte de la vie.

C. — GEORGES DUHAMEL (né en 1884)

L'ÉVOLUTION DE DUHAMEL   Le parisien Georges Duhamel débute en littérature sous le signe de l'unanimisme, aux côtés de Jules Romains. Ayant accompli des études de médecine, il est mobilisé en 1914 dans le Service de santé : cette expérience lui inspire deux grands livres de souvenirs à peine transposés, *Vie des Martyrs* (1917) et *Civilisation* (1918), où l'absurde cruauté des combats est rendue sensible par la description sobre et pathétique des misères quotidiennement observées à l'hôpital parmi les blessés.

Après la guerre, la réflexion de l'écrivain gagne en étendue et en généralité. Bouleversé par le spectacle de la souffrance, il appelle de ses vœux, dans *La Possession du Monde* (1919), la révolution intérieure qui permettrait aux hommes d'y porter remède en instituant « le règne du cœur »; mais il défend aussi la culture, menacée par les entreprises du fanatisme et par les progrès de la civilisation mécanique. Apôtre d'un humanisme moderne, il met en garde ses contemporains, dans des essais limpides et sages, contre les dangers de toute sorte qui menacent leur dignité, leur sécurité, leur bonheur. Cette générosité rayonne aussi dans son œuvre romanesque, dominée par les deux cycles de *Salavin* (1920-1932) et des *Pasquier* (1933-1945).

LE CYCLE DE SALAVIN   *Salavin est le personnage principal d'un ensemble de cinq romans qui décrivent sa vie et ses aventures* (*La Confession de Minuit*, 1920; *Deux Hommes*, 1924; *Journal de Salavin*, 1927; *Le Club des Lyonnais*, 1929; *Tel qu'en lui-même*, 1932). Pitoyable héros, faible, indécis, incapable de maîtriser ses impulsions, de refouler ses mauvais sentiments; point méprisable pourtant, car il est cruellement conscient de sa faiblesse et cherche obstinément les voies d'une échappée vers la grandeur. L'écrivain ne cache pas sa sympathie fraternelle pour cet être dérisoire et touchant, qui demeure si douloureusement prisonnier de ses chimères; mais il pense que la vraie sagesse consiste à s'accepter tel que l'on est.

LE CYCLE DES PASQUIER   *Les Pasquier sont la chronique, en dix volumes, d'une famille et, par le détail des épisodes qui s'y insèrent, le tableau d'une société.* Mais cette chronique se présente presque tout entière comme l'autobiographie du biologiste Laurent Pasquier, qui retrace les phases de sa formation, les désillusions de sa jeunesse, les étapes de son ascension : dans ce personnage, plus sain et mieux équipé pour la vie que Salavin, Duhamel a mis beaucoup de lui-même. Chaque volume possède une unité et la diversité des thèmes abordés est très grande : dans *Le Notaire du Havre* (1933) revivent les premières épreuves d'un enfant; dans *Le Désert de Bièvres* (1936), on assiste à la naissance et à la mort d'une entreprise collective qui fait songer à celle de l'Abbaye; dans *Les Maîtres* (1937), deux savants s'abandonnent sans merci à leur haine réciproque; dans *Cécile parmi nous* (1938), une pianiste s'élève à des hauteurs sublimes par la magie de l'art et le pouvoir de la foi. Œuvre de maturité, *Les Pasquier* contiennent la somme d'une expérience.

III. — **VISAGES DU ROMAN**

A. — L'AVENTURE HÉROÏQUE

HENRY DE MONTHERLANT
(né en 1896)

La jeunesse de Montherlant se résume en une suite d'expériences violentes : à quinze ans, il estoque des taureaux en Espagne; à vingt-deux ans, il est grièvement blessé sur le champ de bataille; à vingt-six ans, il pratique le foot-ball et la course à pied; à trente et un ans, il reparaît dans l'arène et reçoit un coup de corne qui taillade la périphérie d'un de ses poumons. Le goût de l'action et du danger inspire ses premières œuvres : *La Relève du Matin* (1920), *Le Songe* (1922), dominés par l'image de la guerre; puis deux récits à la gloire du sport réunis plus tard sous le titre *Olympiques*; enfin *Les Bestiaires* (1926), où le héros guerrier du *Songe*, Alban de Bricoule, reparaît sous l'habit du torero. Devenu inapte à l'effort physique, Montherlant cherche une diversion dans le voyage, visite Rome, séjourne en Afrique du Nord. Vers 1932 s'ouvre une période plus stable et particulièrement féconde : dans *Les Célibataires* (1934), le romancier peint, à travers trois personnages principaux, la déchéance sociale et morale d'une certaine aristocratie; dans *Les Jeunes Filles*, suite en quatre volumes (1936-39), il montre son héros, le libertin Costals, aux prises avec les femmes, qu'il mène avec rudesse et qu'il accable de sa pitié ou de son mépris, non sans se montrer sensible au pouvoir de la beauté.

L'attitude de Montherlant. — *Nourri de Barrès, de Gide, de Nietzsche, Montherlant est un individualiste résolu, qui tantôt voue un culte cynique au plaisir et tantôt exalte la vertu du sacrifice, mais toujours au nom d'un orgueilleux idéal d'accomplissement personnel.* Dédaigneux de la morale commune, impitoyable à la médiocrité des foules, il ne reconnaît de prix qu'à l'aventure : « J'entends par *vie* la vie privée en ce qu'elle a de chaud, de riche, de fort; de renouvelé, d'insolite, d'audacieux, voire de dangereux; de passionné et de passionnant en un mot. Un vivant? Celui à qui quelque chose arrive. » (*L'Art et la Vie*, essai.) Cette quête perpétuelle ne s'embarrasse d'aucune contradiction : il faut être tour à tour « saint Vincent de Paul, Kant et Casanova », afin de s'acheminer, par un constant dépassement de soi, « vers la totale perfection humaine ».

L'art de Montherlant. — *Montherlant est un romancier puissant et varié.* S'il a prêté quelques-unes de ses propres tendances à ses héros principaux, Alban ou Costals, il a révélé, en peignant ses trois « célibataires » ou ses trois « jeunes filles », un rare talent d'observation objective et de pénétration psychologique : avec une acuité sans défaillance, il décrit le décor de leur vie, note leurs manies, découvre leurs mobiles secrets. Sa langue, en outre, est belle et forte : selon le caprice de son génie, l'écrivain cultive la solennité ou la vulgarité, la raideur ou l'humour, stimulant sans cesse son lecteur par une aisance insolente qui atteint souvent à la vraie grandeur.

ANDRÉ MALRAUX
(né en 1901)

La carrière aventureuse de Malraux inspire directement son œuvre romanesque. Il conduit d'abord une mission archéologique dans le Haut-Laos, participe à la fondation du mouvement « Jeune Annam » et, plus tard, à la guerre civile chinoise : ses premiers livres, *Tentation de l'Occident* (1926), *Les Conquérants* (1928), *La Voie royale* (1930), *La Condition humaine* (1933), font écho à ce tumultueux séjour en Extrême-Orient. Revenu en Europe, il se consacre à la lutte contre le nazisme et le fascisme; après un voyage à Berlin, il publie *Le Temps du Mépris* (1935), dont l'action se déroule dans les prisons hitlériennes. En 1936, il gagne les rangs des républicains espagnols : *L'Espoir* (1938) évoque leurs douloureux combats. La guerre mondiale lui fournit de nouvelles occasions d'héroïsme et de nouveaux thèmes de réflexion; un dernier récit en témoigne, *Les Noyers de l'Altenburg* (1945).

¶ *La Voie royale.*

Claude Vannec, un jeune archéologue, a été chargé par le gouvernement français d'une mission en Indochine et se propose de suivre dans la brousse l'ancienne voie royale khmère qui reliait Angkor et les lacs au bassin de la Ménam; il compte retrouver, parmi les ruines des anciens temples brahmaniques, de précieux objets d'art, dont il ne se ferait pas scrupule de garder le bénéfice en salaire de cette périlleuse expédition. Sur le bateau qui l'amène en Asie, il se lie avec un aventurier danois, Perken, qui jouit au Siam d'un prestige personnel considérable. Les deux hommes décident de s'associer. A l'Institut français d'Hanoï, puis chez le Délégué de la Résidence à Pnom-Penh, Claude reçoit un accueil réticent, mais obtient les réquisitions de charrettes nécessaires à son entreprise.

Claude et Perken avancent dans la forêt, au prix d'immenses difficultés, avec une escorte de chevaux et de conducteurs; ils parviennent à desceller un bas-relief de grande valeur. Mais le cambodgien que la Résidence avait adjoint à la caravane les trahit et disparaît avec tous les conducteurs; ils doivent, pour continuer la route, abandonner leur trésor. Ils décident de passer au Siam, en zone dissidente; Perken voudrait rejoindre un autre aventurier, Grabot, déserteur de l'armée française, qui, selon ses conjectures, serait devenu le chef d'une tribu indigène. Ils finissent par découvrir Grabot aveuglé, mutilé, réduit en servitude. Non sans mal, ils négocient sa liberté. Perken, cependant, se blesse au genou en tombant sur une lancette de guerre fichée en terre et contracte une arthrite suppurée. Se sachant perdu, il suit avec une anxiété impuissante les progrès d'une colonne de répression que le gouvernement siamois a dépêchée en territoire insoumis et meurt, assisté par Claude, en revoyant son tumultueux passé.

¶ *La Condition humaine.*

A Shanghaï, dans la nuit du 21 mars 1927, des agitateurs communistes, Tchen, Kyo, le russe Katow, attendent pour déclencher l'insurrection l'arrivée imminente des troupes du Kuomintang, placées sous le commandement de Chang-Kaï-Shek. Tchen, au prix d'un meurtre, s'est emparé d'un document qui va permettre aux communistes de se procurer de nouvelles armes; Kyo recourt aux offices d'un dévoyé, le baron de Clappique, pour faciliter l'entreprise.

Le lendemain, l'armée parvient dans les faubourgs de la ville; mais le général est près de rompre avec ses alliés communistes et d'entrer en contact avec des capitalistes chinois et français dont l'appui doit lui assurer une autorité absolue. La grève, puis l'insurrection éclatent; mais l'armée reprend l'initiative et Chang-Kaï-Shek exige des insurgés la livraison de leurs armes.

Kyo se rend à Han-Kéou pour demander aux responsables communistes l'autorisation de résister aux volontés du général; mais l'Internationale ne juge pas venu le moment d'entrer en conflit ouvert avec lui. Tchen organise alors contre Chang-Kaï-Shek un attentat qui échoue; blessé, il s'achève d'un coup de revolver.

Cependant, la répression s'organise. Clappique apprend que Kyo va être arrêté, mais, par aboulie, s'attarde dans une maison de jeu au moment de le prévenir, puis demande en vain sa grâce au chef de la police. Condamné à mort, Kyo échappe au supplice en absorbant du cyanure; Katow, tombé lui aussi entre les mains de l'autorité militaire, abandonne, par un acte de dévouement sublime, sa propre réserve de cyanure à deux autres condamnés et se livre aux bourreaux qui vont le brûler vif. Ainsi triomphent les intérêts capitalistes; mais la Révolution aura sans doute un jour sa revanche et sa vengeance.

La pensée de Malraux. — *Dans tous ses romans, Malraux décrit l'homme d'aujourd'hui aux prises avec les nécessités de l'histoire et la rigueur du destin.* Sa pensée, cependant, gagne, d'un livre à l'autre, en humanité et en profondeur. Les personnages principaux des *Conquérants* et de *La Voie royale* ne considèrent l'aventure que comme un recours gratuit contre le désespoir; mais Kyo, dans *La Condition humaine*, lutte pour arracher ses compagnons à leur humiliante servitude : « Sa vie avait un sens, et il le connaissait : donner à chacun de ces hommes que la famine, à ce moment même, faisait mourir comme une peste lente, la possession de sa propre dignité »; quant à Kassner, dans *Le Temps du Mépris*, il découvre la grandeur de cette « fraternité virile » qui conduira un camarade inconnu à se laisser exécuter à sa place dans l'intérêt de leur cause commune. Malraux devait se détourner de l'idéologie révolutionnaire; mais il demeure soucieux de construire un humanisme moderne qui, en exaltant le génie de l'homme, assure la victoire des forces de l' « espoir » sur celles du « mépris ».

L'art de Malraux. — *Malraux peint de vastes tableaux où l'événement historique s'inscrit dans sa complexité* : les premières pages de *L'Espoir*, par exemple, nous font assister aux multiples efforts de l'état-major républicain pour déterminer la ligne d'un front toujours mouvant. Devant cette toile de fond puissamment animée et colorée s'affrontent les protagonistes du drame; dialogues abrupts et scènes de violence se succèdent sur un rythme haletant. Cette technique, rehaussée par le prestige d'une langue dense, s'apparente à celle de l'art cinématographique ou du roman américain.

SAINT-EXUPÉRY (1900-1944) — Pilote de ligne, puis pilote de guerre, Antoine de Saint-Exupéry, qui devait disparaître sur le front méditerranéen au retour d'une mission de reconnaissance, a transcrit ses expériences d'aviateur. *Vol de Nuit* (1932) évoque l'héroïsme obscur des pionniers qui ont établi la première ligne régulière entre la France et l'Amérique du Sud. *Terre des Hommes* (1939) conte, en particulier, la tragique histoire d'un raid Paris-Saïgon. *Pilote de guerre* (1940) reproduit la méditation d'un combattant au cours d'une mission inutile et dangereuse au-dessus des lignes allemandes. Ces livres, le dernier surtout, sont moins des romans que des reportages vécus. Un ouvrage posthume, *Citadelle* (1948), renferme, sous forme de notes et d'ébauches, les principes d'une philosophie pratique.

L'œuvre de Saint-Exupéry doit son prestige à la sincérité d'une pensée qui se réfère à un noble idéal humain. Saint-Exupéry est hostile aux connaissances livresques et à la logique qui « démontre tout » : les idéologies s'opposent et « de telles discussions font désespérer du salut de l'homme »; or le salut est dans toute activité, même effacée, qui nous relie à la communauté des hommes et nous permet de collaborer à une œuvre utile : ainsi, le pilote de ligne, responsable du courrier, sent dans le contact avec le vent, le sable ou la mer sa solidarité fraternelle avec la « Terre des hommes ». Saint-Exupéry écrit une langue pure et dense; sa phrase, habilement agencée, chante à l'oreille.

SHANGHAÏ.

Aquarelle d'Édy Legrand pour *La Condition humaine*. (Édition Gallimard, 1951.)

Sur les quais du port, à Shanghaï, les coolies chinois peinent tout le jour pour an salaire infime.
Le spectacle de leur misère exalte la volonté révolutionnaire de Kyo.

B. — LA VIE SPIRITUELLE

FRANÇOIS MAURIAC
(né en 1885)

Né à Bordeaux, où il fut l'élève des marianites de Sainte-Marie, François Mauriac est, dès son enfance, un chrétien anxieux. Il débute en littérature par un recueil de poèmes mélancoliques, *Les Mains jointes* (1909), qui attire l'attention de Maurice Barrès, puis il trouve sa voie dans le roman. Ses premières œuvres (*L'Enfant chargé de chaînes*, 1912; *La Robe prétexte*, 1913; *Le Baiser au Lépreux*, 1922) analysent les tourments de personnages chez qui les élans de la foi entrent en conflit avec l'appétit de vivre. Après *Genitrix* (1923), court récit d'un sombre éclat, Mauriac s'attache, comme Pascal, à illustrer la misère de la créature humaine sans Dieu : ainsi *Le Désert de l'Amour* (1926) peint l'effrayante solitude morale des êtres, tant qu'ils restent fermés aux sollicitations de la foi, et *Thérèse Desqueyroux* (1926) étudie le cas d'une jeune provinciale chez qui le sentiment obsédant d'une destinée sans issue éveille la tentation d'un crime. Dans ses œuvres postérieures, Mauriac tend à montrer que l'homme peut toujours compter sur la grâce, car la miséricorde divine touche ceux qui se sont le plus enfoncés dans le mal : le vieil avocat du *Nœud de Vipères* (1932), égoïste et haineux, est, à son agonie, réconforté par les lueurs divines et Gabriel Gradère, le triste héros des *Anges noirs* (1936), découvre la charité et l'amour après une vie crapuleuse.

¶ *Genitrix.*

La vieille Cazenave exerce sur son fils un empire despotique et jaloux, tandis qu'elle s'acharne férocement contre sa belle-fille. Mais celle-ci meurt brusquement, emportée par une fièvre puerpérale. A partir de ce moment, le fils, involontairement responsable de la mort de sa femme, est bourrelé de remords; conscient de ce qu'il a perdu et envoûté par le souvenir de la défunte, il échappe chaque jour davantage au joug tyrannique de sa mère. Finalement, la vieille femme s'humanise, vaincue dans cette lutte contre le prestige des puissances d'outre-tombe.

¶ *Thérèse Desqueyroux.*

Thérèse Desqueyroux quitte la Cour d'Assises, où elle a bénéficié d'un non-lieu. Au cours du long trajet qui la mène jusqu'à sa maison d'Argelouse, elle revoit son passé et ressasse les mobiles mystérieux qui l'ont poussée à vouloir empoisonner son mari, Bernard : monotonie de la vie provinciale; isolement moral; sentiment lancinant du néant de son existence. Peut-être son mari va-t-il enfin la comprendre? Mais Bernard ne pense qu'à étouffer le scandale. Il la conduit à Paris : elle ne paraîtra plus à Argelouse qu'à l'occasion des cérémonies de famille.

Les romans de Mauriac, imprégnés d'une foi ardente, ont une simplicité de ligne toute classique : ils retracent, en un récit bref et tendu, d'un rythme ascendant, l'histoire d'une crise animée par des personnages complexes, dont les angoisses, les remords, les instincts inavoués, mais aussi les obscurs besoins d'amour sont scrutés jusque dans les replis les plus cachés de l'inconscient. Situés en province, lieu favorable à l'éclosion et au développement des passions, ces romans ont en général pour toile de fond des paysages de campagne landaise, en harmonie avec les états d'âme des protagonistes : immenses étendues de pins, vignes brûlées par le soleil. Le style, à la fois exact et plastique, âpre et fluide, révèle un artiste sûr de ses moyens.

GEORGES BERNANOS
(1888-1948)

Georges Bernanos est né à Paris d'une souche mi-lorraine, mi-berrichonne. C'est un catholique nourri « dans l'amitié de Léon Bloy » et, pendant sa jeunesse au moins, un monarchiste, qui appartient quelque temps au mouvement d'Action Française. Son premier roman, *Sous le soleil de Satan* (1926), évoque en un récit haletant les tourments de l'abbé Donissan qui, tiraillé entre l'amour de Dieu et la tentation du désespoir, triomphe du démon et achève ses jours dans une active sainteté. *L'Imposture* (1927) peint la redoutable figure de l'abbé Cénabre, qui accomplit tous les gestes de son sacerdoce, bien qu'il ait secrètement renié son Dieu; mais *La Joie* (1929), qui est une suite de *L'Imposture*, oppose à ce personnage démoniaque celui de la rayonnante Chantal de Clergerie. En 1936, Bernanos publie son chef-d'œuvre, le *Journal d'un Curé de Campagne*. Deux ans plus tard, la guerre civile espagnole lui inspire un retentissant pamphlet, *Les Grands Cimetières sous la Lune*, où, répudiant au nom de la charité ses anciennes tendances politiques, il flétrit les excès de la révolte franquiste et la lâcheté des prélats ou des prêtres qui les ont approuvés. De même, au cours de la seconde guerre mondiale, il défendra avec passion la cause de la liberté.

¶ *La Joie.*

Chantal de Clergerie vit dans un abandon parfait à la volonté de Dieu, qui est la source de sa joie. Autour d'elle s'agitent des personnages tous plus ou moins inspirés par le démon : une grand'mère que le remords et l'avarice ont rendue folle; un père médiocre, ambitieux et lâche; des domestiques insolents parmi lesquels s'est glissé un dévoyé, le russe Fiodor; un psychiatre secrètement gagné par l'angoisse qu'il a prétendu guérir; un prêtre sans foi, Cénabre, qui trahit Dieu chaque jour. La solitude a suivi pour Chantal la mort de son directeur, l'abbé Chevance, et l'a brusquement éclairée sur toutes ces misères. Désormais, elle consacre sa vie et sa joie à ceux qui l'approchent; mais, par sa seule présence, elle les torture en leur inspirant la honte de leurs péchés. Le démon qui les habite se débat contre la puissance de la sainte, qui meurt assassinée par le misérable Fiodor. Cénabre perd la raison tout en recouvrant la foi au pied du lit de la morte.

¶ *Journal d'un Curé de Campagne.*

Un jeune prêtre miné par une maladie dont il ignore le nom et la nature, un cancer de l'estomac, prend la charge d'une paroisse. Mais ses douloureux efforts semblent se retourner contre lui, car, comme Chantal de Clergerie, il soulève dans les âmes la révolte du péché qui se défend contre sa pureté. Il se heurte, dans la famille du châtelain, à la haine et à l'orgueil désespéré qui séparent la comtesse, sa fille et l'institutrice, ainsi qu'à la légèreté arrogante du chef de famille. Il se heurte aussi, chez les enfants du catéchisme comme Séraphita Dumouchel, à la perversité malveillante qui se cache sous l'aspect de l'innocence. Il est soutenu, heureusement, par la force militante d'un autre prêtre. Au prix d'une vive lutte, il rend à la comtesse l'espérance et l'amour ; il reçoit le secours de la petite Séraphita qui l'avait trahi; et la fille du comte sera touchée aussi un jour. Sa dernière parole, au seuil de la mort, exprime la joie enfin conquise : « Tout est grâce. »

Bernanos peint dans des récits chaotiques et fulgurants le drame de la créature humaine aux prises avec les forces du mal. Selon lui, le péché originel a soumis l'homme au pouvoir de Satan; et l'être le plus pur sent parfois s'insinuer dans son âme la volonté du démon. Pourtant, les créatures égarées ne sont pas déchues sans appel, tant qu'elles luttent. Le seul mal sans remède est l'indifférence au salut, l'esprit de démission qui sévit chez les « réalistes » oublieux du vrai problème ou chez les « bien-pensants » attachés paresseusement à la tradition. L'Église doit travailler à former des hommes qui sachent vivre avec plénitude et héroïsme dans l'exaltation des vertus chrétiennes.

MARCEL JOUHANDEAU
(né en 1887)

Marcel Jouhandeau, né à Guéret, a longtemps enseigné dans un collège libre. Ses romans (*La Jeunesse de Théophile*, 1921; *Monsieur Godeau intime*, 1926; *Monsieur Godeau marié*, 1927; *Chaminadour*, 1934; *Chroniques maritales*, 1938; *La Faute plutôt que le Scandale*, 1949) offrent un mélange subtil de réalisme et de spiritualité.

Lucide et minutieux, Marcel Jouhandeau donne à ses récits une apparence de choses vues. Il peint par petites touches d'une sécheresse aiguë une ville de province qui ressemble à Guéret, Chaminadour-la-Bienheureuse, avec son curé, son maire, son boucher, son épicier; il reproduit les cancans et les querelles de ménage, décrit les rivalités sordides, met à nu la perversité foncière des êtres, leurs obsessions, leurs vices cachés. Il s'érige ainsi en censeur ironique et violent de la société bourgeoise.

Mais cette peinture impitoyable s'inscrit dans une vision mystique du monde : l'univers de Marcel Jouhandeau baigne dans le surnaturel; la présence du mal sur la terre atteste à ses yeux la vigilance de Satan. Il existe, heureusement, des âmes qui, contraintes de subir la loi du péché, font l'épreuve de leur fermeté et parviennent à se sauver. Comme Georges Bernanos, Marcel Jouhandeau est cruel à l'indifférence et à la médiocrité; mais il pense que tout homme a une partie à jouer et que « le chrétien écrit lui-même sa propre histoire dans la mémoire de Dieu ».

JULIEN GREEN
(né en 1900)

Julien Green, né à Paris, mais d'origine anglo-américaine, a longtemps cherché un équilibre spirituel. Ses premiers romans (*Adrienne Mesurat*, 1927; *Léviathan*, 1928) le situent dans la lignée de François Mauriac par le cadre provincial et la fureur passionnelle de ses personnages : ainsi, l'héroïne d'*Adrienne Mesurat* cède, comme Thérèse Desqueyroux, à une tentation criminelle. Green compose ensuite, sur le thème de l'obsession de la mort, des romans où le réel se mêle étrangement au rêve et à l'hallucination (*Le Visionnaire*, 1934; *Minuit*, 1936). L'année 1940 marque pour Julien Green le retour à la religion catholique; son *Journal*, en cinq volumes, dont deux écrits en Amérique pendant l'occupation de la France, retrace avec une entière sincérité l'évolution de son auteur de 1928 à 1950 : au désespoir absolu des premiers livres succède l'apaisement de la foi. Pourtant l'inquiétude devant le destin n'a pas totalement disparu, comme en témoigne le dernier roman de Green, *Moïra* (1950), histoire d'un jeune puritain qui commet un meurtre au nom d'une exigence de vertu.

Julien Green a écrit des romans riches de substance humaine et d'une grande puissance d'envoûtement. Il peint avec prédilection des personnages de tous les jours, faibles et falots, mais obscurément poussés par des forces irrationnelles : colères sourdes, impulsions refoulées; le drame rôde et couve, puis brusquement éclate. Anglo-saxon par le mystère et l'angoisse qui imprègnent ses œuvres, Julien Green se conforme pourtant à la tradition française du roman bien fait : le cours du récit est égal dans son flux et le style, volontairement dénué de rythme, est d'une imperturbable impassibilité.

Georges Bernanos.

François Mauriac.

Jules Romains.

André Malraux.

ROMANCIERS CONTEMPORAINS.

C. — L'ÂME FÉMININE. — COLETTE (1873-1954)

LA CARRIÈRE DE COLETTE — Gabrielle Colette, née en 1873 à Saint-Sauveur, dans l'Yonne, a décrit, dans *La Maison de Claudine*, le charme de la demeure familiale où elle passa son enfance auprès d'un père chimérique et d'une mère tendrement aimée. Ses premiers romans livrent au public « des fragments déformés de sa vie sentimentale ». De *Claudine à l'école* (1900) à *La Retraite sentimentale* (1907), elle conte, d'abord en collaboration avec Willy, son premier mari, l'histoire d'une jeune fille farouchement indépendante et secrètement exaltée, qui devient femme, puis veuve, et qui entretient dans la solitude le souvenir de son unique amour. Puis, dans *Les Vrilles de la Vigne* (1908), Colette dit adieu à Claudine et à sa première jeunesse. Elle mène quelque temps une vie errante comme artiste de music-hall, partagée entre la passion d'une liberté inquiète et le rêve d'un stable bonheur : ce drame intérieur revit dans l'âme de Renée Néré, l'héroïne de *La Vagabonde* (1910) et de *L'Entrave* (1913).

¶ **La Vagabonde.**

Divorcée, comme Colette, Renée joue, comme elle, la pantomime. Un riche admirateur la courtise. Elle se laisse toucher peu à peu; mais elle ne se résout pas, bien que son métier l'épuise, à quitter l'état d'éternelle « vagabonde »; et elle s'éloigne, le cœur lourd de regret.

¶ **L'Entrave.**

Le succès, le luxe, les plaisirs font parfois oublier à Renée son secret tourment. Pourtant, elle finira par accepter « l'entrave ». Jean s'est épris d'elle : en vain, elle le décourage; elle ne résiste pas à l'épreuve de son absence et, quand il revient, s'abandonne à l'amour.

Remariée, mère d'une petite fille, Colette renouvelle sa manière; son expérience lui permet d'imaginer des héroïnes différentes d'elle-même. Elle peint le désarroi d'une femme mûre abandonnée par un trop jeune amant (*Chéri*, 1920); la naissance de l'amour chez deux adolescents (*Le Blé en Herbe*, 1923); les difficultés du mariage ou les tortures de la jalousie (*La Seconde*, 1929; *La Chatte*, 1933; *Duo*, 1934). D'autres œuvres renferment des souvenirs ou des méditations : à *La Maison de Claudine* (1923) succède *La Naissance du Jour* (1928), où l'écrivain se souvient de la sagesse maternelle et, renonçant à des plaisirs révolus, découvre de nouvelles raisons d'aimer la vie.

LE GÉNIE DE COLETTE — *Colette possède une inépuisable vertu d'accueil.* Ses sens aiguisés vibrent au moindre appel; le charme d'un paysage, la délicatesse d'une fleur, la grâce d'un animal, éveillent son attention passionnée. Son instinct de femme l'attire aussi vers le mirage d'un paradis sentimental; mais l'amour se révèle plus décevant que la nature. Au monde des humains, Colette préfère décidément le monde des bêtes et des plantes, auquel la lie une sorte de complicité. Profondément attachée à la terre, elle voudrait en savourer toutes les joies et entretient en elle un foyer d'enthousiasme dont l'âge et les épreuves n'ont pas affaibli l'ardeur.

Sa prose, merveilleusement souple, est à l'image de cette richesse intérieure. Le lyrisme, la fantaisie nonchalante, la vigueur concrète, s'y déploient tour à tour. De fraîches impressions, notées sur le vif, y mêlent leur poésie.

D. — LA RÉALITÉ SOCIALE

HENRI BARBUSSE
(1874-1935)

Barbusse a débuté dans le roman par une ambitieuse fresque sociale, *L'Enfer* (1908), mais il demeure avant tout l'auteur d'un livre de guerre, *Le Feu* (1916). C'est, tout simplement, le « journal » d'une escouade, où la vie des tranchées, avec ses épisodes quotidiens et terribles, se trouve peinte selon les lois d'un réalisme nu. En même temps, l'auteur du récit proteste avec violence contre l'absurdité de ces combats fratricides : « Ce serait un crime de montrer les beaux côtés de la guerre, même s'il y en avait »; et il appelle de ses vœux « l'alliance que bâtiront un jour entre eux ceux dont le nombre et la misère sont infinis ». Ainsi naît de l'épreuve même un idéal révolutionnaire, qui s'affirmera systématiquement dans *Clarté* (1918).

ANDRÉ CHAMSON
(né en 1900)

Les romans d'André Chamson se déroulent presque tous dans le cadre des Cévennes. Le romancier, pourtant, a d'autres ambitions que celle de peindre sa province avec relief et vérité; chacun de ses livres pose un problème humain : dans *Les Hommes de la Route* (1927), il décrit des paysans profondément attachés à leur terre et menacés tout à coup d'une transplantation cruelle. Il accorde d'ailleurs une place de plus en plus importante aux réalités sociales et aux événements historiques : *Héritages* (1932) analyse la dégradation morale d'une certaine bourgeoisie; *L'Année des Vaincus* (1934) montre le désarroi de la conscience nationale devant le triomphe de l'hitlérisme. L'œuvre prend ainsi la valeur d'un témoignage passionné sur une époque remplie de drames et d'inquiétude.

ARAGON

Après son adhésion au communisme stalinien, Aragon se prononce, en matière d'art, pour un « réalisme socialiste » et se propose de mettre en lumière, dans des romans, les tares d'un régime qu'il juge condamné à disparaître par les nécessités inéluctables de l'histoire. *Les Cloches de Bâle* (1934), puis *Les Beaux Quartiers* (1936), évoquent la société française pendant les années qui ont précédé la première guerre mondiale. Les grandes manifestations de la vie politique y occupent parfois le premier plan : ainsi, *Les Cloches de Bâle* s'achèvent par un tableau du Congrès international contre la guerre qui s'est effectivement tenu à Bâle, en novembre 1912. Quant aux personnages et aux épisodes inventés, ils prennent la valeur de types et d'exemples : la première partie des *Beaux Quartiers*, qui a pour cadre une cité imaginaire de la Savoie, illustre avec férocité les bassesses et les vilenies que peut abriter, sous des dehors rassurants, une petite ville de province. Ces deux romans sont pleins de vie, bien que l'écrivain mette délibérément son talent au service d'une thèse et d'une cause; avec *Les Voyageurs de l'Impériale* (1943), ils constitueront un cycle intitulé « Le Monde réel. » Un nouveau cycle, « Les Communistes », orienté vers les mêmes fins idéologiques, embrasse les événements qui se sont déroulés depuis le début de la seconde guerre mondiale.

L'ÉCOLE POPULISTE Vers 1928, Léon Lemonnier voulut réagir contre le romanesque aristocratique et mondain où se complaisaient des écrivains en vogue; avec André Thérive, il fonda l'école populiste et en définit les intentions dans deux manifestes (août 1929 et janvier 1930). Il s'agissait de peindre la vie des petites gens, mais de la peindre avec mesure, avec vérité, sans tomber dans les excès et les idées préconçues du naturalisme. Cette esthétique a été heureusement illustrée par André Thérive qui, dans *Sans Ame* (1928), évoque d'humbles et tristes paysages parisiens; par Eugène Dabit qui, dans *Hôtel du Nord* (1930), peint la vie d'un petit hôtel de quartier; par Léon Lemonnier lui-même qui, dans *La Femme sans péché* (1931), analyse un admirable caractère de femme du peuple pleine de délicatesse morale. A l'école populiste, réputée d'esprit bourgeois, Henri Poulaille opposa, un moment, l'école prolétarienne.

L.-F. CÉLINE (1894-1961) En 1932, le docteur Destouches, dit Louis-Ferdinand Céline, publiait un livre d'une violence forcenée, *Voyage au bout de la nuit*, qui connut un succès retentissant. En une langue argotique et souvent ordurière, le héros, Bardamu, dont les aventures, bouffonnes ou terribles, cruelles toujours, ressemblent à des scènes de cauchemar, y fustige la société moderne, avec ses guerres, ses entreprises coloniales, ses impostures innombrables. La « nuit » où il chemine, c'est celle de la honte, du crime, de la mort, sans que se laisse entrevoir jamais une clairière d'espérance. Dans son pessimisme implacable, l'œuvre apparaît comme un témoignage extrême sur les convulsions d'un monde en crise : certaines pages, soutenues par le seul génie de l'injure, révèlent un tempérament de pamphlétaire; d'autres, animées par une verve noire, peuplées de visions atroces, semblent appartenir à une épopée du désespoir. Dans *Mort à Crédit* (1936), dans *Bagatelles pour un Massacre* (1938), cette violence tourne au procédé; pendant la guerre enfin, elle se met au service du fascisme et de l'antisémitisme.

MARCEL AYMÉ (né en 1902) Marcel Aymé appartient à une famille originaire de la campagne franc-comtoise. Plusieurs de ses livres, notamment la célèbre *Jument verte* (1933), plaisante chronique d'un village français depuis la fin du Second Empire jusqu'à l'époque du boulangisme, révèlent son goût pour l'observation des mœurs paysannes et pour les légendes du terroir. Ses peintures sont pleines de relief et de gaillardise : avec un flegme qui est un caractère constant de son humour, l'écrivain accumule les détails savoureux ou scandaleux, démasque un ridicule ou un vice. A ce réalisme dru, il associe la bizarrerie d'une invention qui utilise avec un parfait naturel les procédés du merveilleux : comme s'il s'agissait d'un phénomène commun, il prête à sa jument un langage et des raisonnements humains. Ce mélange se retrouve dans les *Contes du Chat perché* (1934), qui s'adressent à des enfants : seul le dosage diffère. La fantaisie et l'ingéniosité satirique de Marcel Aymé s'exerceront encore dans *Travelingue*; dans les dix récits du *Passe-Muraille*; puis, après la seconde guerre mondiale, dans des comédies hautes en couleur (*Lucienne et le Boucher*; *Clérambard*; *La Tête des Autres*).

E. — LA VIE RUSTIQUE

C. F. RAMUZ
(1878-1947)

Né à Cully-sur-Lausanne dans le canton de Vaud, Ramuz quitta sa chaire de professeur pour mener la vie solitaire d'un romancier paysan. Les titres de ses œuvres les plus connues (*La Grande Peur de la Montagne*, 1926; *La Beauté sur la Terre*, 1928; *Si le Soleil ne revenait pas*, 1939) en révèlent les thèmes essentiels : les rapports de l'homme et de la nature; la joie du montagnard à vivre au soleil; sa peur instinctive de l'ombre.

Ramuz a poussé très loin le souci de la couleur locale exacte. Il restitue dans leurs particularités originales la vie et les mœurs des paysans vaudois, hommes instinctifs et rudes qui, en contact avec les spectacles grandioses de la nature, ne s'attachent qu'à de grandes vérités toutes simples. Il reproduit leur langage heurté et lent, avec ses piétinements et ses entorses à la syntaxe. *Mais Ramuz n'est pas seulement un écrivain de terroir*; le goût de l'élémentaire est chez lui « proche parent du goût de l'universel » : sensible à la peine des hommes, il voudrait contribuer à ce qu'ils ne « soient plus posés les uns à côté des autres » et, dans sa pensée, l'exemple offert par les paysans vaudois pourrait préparer les voies d'une large communion humaine.

JEAN GIONO
(né en 1895)

Fils d'un cordonnier et d'une repasseuse, Jean Giono est né dans la vallée de la Durance, à Manosque, où il a toujours vécu au milieu des bergers et des montagnards. Il composa d'abord une série de récits rustiques, qui avaient une saveur franche de terroir : *Colline* (1929), où apparaît l'influence de Ramuz, dépeint la terreur des montagnards devant le déchaînement des forces naturelles; *Regain* (1930), hymne de joie et de confiance dans la vie, a pour sujet la résurrection d'un hameau de montagne, sous l'influence d'un jeune couple; *Le Grand Troupeau* (1931) évoque, sur un ton d'une majesté épique, la transhumance qui suivit la mobilisation des bergers en 1914. Puis Giono a écrit des livres où il prêche son idéal de retour à la terre (*Que ma joie demeure*, 1935; *Les Vraies Richesses*, 1936) ainsi que de vastes rêveries cosmiques, d'un lyrisme parfois intempérant (*Batailles dans la Montagne*, 1937; *Le Poids du Ciel*, 1938).

Jean Giono exalte, dans ses romans rustiques, la vie païenne qu'il voudrait restaurer. Fortement imprégné d'Homère et des mythes anciens, il invoque spontanément les dieux de l'Olympe ou Déméter, la déesse souterraine de la Terre féconde, qui dispense « les vraies richesses »; il peint avec ferveur un monde régi de toute éternité par les forces cosmiques et où l'homme, à demi confondu avec les arbres et les rochers qui l'entourent, mène dans la solitude une vie presque végétative, faisant lui-même son pain, son vin et son huile. Ce culte de la vie pastorale a pour contrepartie, chez Giono, la condamnation farouche de la civilisation et du machinisme modernes. *Le style de Giono a varié* : dans ses premiers récits, il utilise une phrase courte et fait parler à ses paysans un argot à la fois naïf et travaillé; dans ses dernières œuvres, sa phrase, bien rythmée, s'étale et se ramifie, puissante et riche en images éclatantes.

F. — L'HOMME ET L'EXISTENCE

JEAN-PAUL SARTRE
(né en 1905)

Jean-Paul Sartre, normalien, agrégé de philosophie, enseigna, avant la seconde guerre mondiale, en province (au Havre, notamment), puis à Paris. Nourri des doctrines du philosophe allemand Martin Heidegger, il médita longtemps son propre système, qui est exposé dans *L'Être et le Néant* (1943). Mais il en avait par avance illustré quelques aspects dans un roman, *La Nausée* (1938) et dans un recueil de cinq nouvelles, *Le Mur* (1939). Il a entrepris, ces dernières années, un nouveau roman en plusieurs volumes, *Les Chemins de la Liberté*, dont la publication n'est pas achevée.

¶ La Nausée.

Antoine Roquentin s'est fixé à Bouville (Le Havre) pour achever ses recherches historiques sur le marquis de Rollebon. Il prend en horreur cette besogne factice, qu'il finira par abandonner : « Comment donc, moi qui n'ai pas eu la force de retenir mon propre passé, puis-je espérer que je sauverai celui d'un autre ? » Il note dans son journal, au fil des journées, ses réflexions amères et ses aventures décevantes. Il décrit la morne tristesse d'un dimanche en province; il conte sa visite au musée où s'étalent les portraits des célébrités locales, figées dans leur niaise et agressive assurance; il rapporte avec pitié les propos d'un « humaniste » naïf qui, avec quelques formules creuses et quelques idées conventionnelles, se flatte de travailler au salut de ses semblables.

Pour sa part, Roquentin est envahi par la conscience de l'absurdité d'un univers injustifiable. Dans des moments de crise, il éprouve, à l'égard des objets, des hommes et de lui-même, une « nausée », une phobie violente, parce que toute existence lui apparaît vaine et superflue : « L'existence s'était soudain dévoilée.... Nous étions un tas d'existants gênés, embarrassés de nous-mêmes; nous n'avions pas la moindre raison d'être là, ni les uns ni les autres.... *De trop* : c'était le seul rapport que je pusse établir entre ces arbres, ces grilles, ces cailloux.... *De trop*, les marronniers, là en face de moi un peu sur la gauche. *De trop*, la Velléda.... *Et moi* — veule, alangui, obscène, digérant, ballottant de mornes pensées — *moi aussi j'étais de trop.* »

Sartre prétend montrer, dans « La Nausée », l'inanité des préjugés ou des traditions qui inspirent parfois aux hommes un sentiment de sécurité fallacieuse au sein d'un monde impénétrable et hostile. Philosophe athée, moraliste anarchisant, il refuse les assurances qu'apportent les systèmes et il écarte les explications que fournissent les religions : dès lors, êtres et objets apparaissent dépourvus de sens; et cette constatation engendre le désespoir. Il laisse entendre pourtant, dans les dernières pages du récit, que ce désespoir n'est peut-être pas sans recours; mais il se réserve de préciser dans d'autres œuvres quelles valeurs authentiques pourraient servir de base à un humanisme moderne.

OUVRAGES À CONSULTER

A. MAUROIS. *A la Recherche de Marcel Proust* (Hachette, 1949). — L.-P. QUINT. *André Gide, sa Vie, son Œuvre* (Stock, nouv. éd., 1952).

A. CUISENIER. *Jules Romains et l'Unanimisme* (Flammarion, 1935). — R. LALOU. *Roger Martin du Gard* (Gallimard, 1937). — C. SANTELLI. *Georges Duhamel* (Bordas, 1947).

E. NÉRIEL. *Henry de Montherlant, son Œuvre* (N. R. C., 1936). — G. PICON. *André Malraux* (Gallimard, 1946). — L. WERTH. *La Vie de Saint-Exupéry* (Éd. du Seuil, 1949). — A. PALANTE. *Mauriac, le Roman et la Vie* (Portulan, 1946). — L. ESTANG. *Présence de Bernanos* (Plon, 1947). — P. CLARAC. *Textes choisis de Colette* (Grasset, 1936). — R. CAMPBELL. *Jean-Paul Sartre ou une Littérature philosophique* (Ardent, 1945).

◇ TEXTES COMMENTÉS ◇

I. — *LE TEMPS RETROUVÉ*

Je glissais rapidement sur tout cela, plus impérieusement sollicité que j'étais de chercher la cause de cette félicité, du caractère de certitude avec lequel elle s'imposait, recherche ajournée autrefois. Or, cette cause, je la devinais en comparant entre elles ces diverses impressions bienheu-
5 reuses et qui avaient entre elles ceci de commun que je les éprouvais à la fois dans le moment actuel et dans un moment éloigné où le bruit de la cuiller sur l'assiette, l'inégalité des dalles, le goût de la madeleine allaient jusqu'à faire empiéter le passé sur le présent, à me faire hésiter à savoir dans lequel des deux je me trouvais; au vrai, l'être qui alors goûtait en moi
10 cette impression la goûtait en ce qu'elle avait de commun dans un jour ancien et maintenant, dans ce qu'elle avait d'extra-temporel, un être qui n'apparaissait que quand, par une de ces identités entre le présent et le passé, il pouvait se trouver dans le seul milieu où il pût vivre, jouir de l'essence des choses, c'est-à-dire en dehors du temps. Cela expliquait que
15 mes inquiétudes au sujet de ma mort eussent cessé au moment où j'avais reconnu, inconsciemment, le goût de la petite madeleine, puisqu'à ce moment là l'être que j'avais été était un être extra-temporel, par consé-quent insoucieux des vicissitudes de l'avenir. Cet être-là n'était jamais venu à moi, ne s'était jamais manifesté qu'en dehors de l'action, de la
20 jouissance immédiate, chaque fois que le miracle d'une analogie m'avait fait échapper au présent. Seul il avait le pouvoir de me faire retrouver les jours anciens, le Temps Perdu, devant quoi les efforts de ma mémoire et de mon intelligence échouaient toujours.

MARCEL PROUST, *Le Temps retrouvé.*
(Gallimard, éditeur.)

Situation du passage. — Un jour, en 1916, le Narrateur se rend à une matinée chez le prince de Guermantes : en cours de route, il se sent assailli de doutes « au sujet de la réalité de ses dons littéraires »; absorbé par ses pensées mélancoliques, il ne voit pas, au moment où il pénètre dans la cour de l'hôtel des Guermantes, une voiture qui s'avan-çait; au cri que pousse le cocher, il recule brusquement et bute « contre des pavés assez mal équarris. » En se remettant d'aplomb, il constate que le découragement qu'il res-sentait s'évanouit comme par enchantement pour faire place à une félicité intense, comparable à celle qu'il avait autrefois éprouvée en voyant des arbres à Balbec, ou bien, près de Combray, les clochers de Martinville. Presque aussitôt, le heurt de ces pavés lui rappelle la sensation éprouvée jadis « sur deux dalles inégales du baptistère de Saint-Marc », à Venise, et amène à sa suite tout un cortège de sensations « qui étaient restées dans l'attente, à leur rang, d'où un brusque hasard les avait impérieusement fait sortir, dans la série des jours oubliés ». Sur ces entrefaites, Marcel Proust entre dans l'hôtel des Guermantes et, pendant qu'il attend dans l'antichambre, il médite sur ces faits étranges.

Le texte. — En confrontant des exemples analogues à celui des pavés inégaux, une constatation a frappé l'esprit du Narrateur : dans tous ces cas, c'est la mémoire involontaire, et non la mémoire volontaire, qui restitue les impressions dans leur plénitude. Mais Proust glisse *rapidement sur tout cela*; le problème qui sollicite *plus impérieusement* son attention consiste à *chercher la cause de cette félicité*, qui s'est traduite par « des impressions de fraîcheur, d'éblouissante lumière » tournoyant près de lui, et du *caractère de certitude avec lequel elle s'imposait*. Ici se révèle, chez Proust, une tendance positiviste et scientifique : il oriente ses analyses vers la recherche d'une relation causale. *Autrefois* déjà, à l'occasion d'autres résurrections de la mémoire, le Narrateur s'était appliqué à appréhender la réalité profonde de son être, mais, « l'éclaircissement décisif » lui ayant échappé, la *recherche* avait été *ajournée*. Notons, dès cette première phrase, quelques caractéristiques du style de Proust : l'abondance des adverbes, l'absence d'épithètes, l'emploi de l'imparfait, qui va se poursuivre tout au long du texte.

Au lieu de donner d'emblée la solution du problème, le Narrateur nous fait assister aux tâtonnements de sa pensée, au progrès lent, mais sûr, de ses investigations : la fréquence des articulations logiques (*or... cela expliquait que... par conséquent*), le retour périodique du mot *être* donnent l'impression d'une chaîne d'arguments impliqués les uns dans les autres. La vérité, selon Proust, ne commence qu'au moment où l'écrivain prend deux objets différents et pose leur rapport, « analogue dans le monde de l'art à celui qu'est le rapport unique de la loi causale dans le monde de la science »; ainsi, *en comparant entre elles ces diverses impressions bienheureuses*, le Narrateur entrevoit intuitivement (*cette cause, je la devinais*) dans une analogie l'amorce de la solution cherchée : *ces impressions avaient entre elles ceci de commun que je les éprouvais à la fois dans le moment actuel et dans un moment éloigné*. Et Proust donne trois exemples de cette présence simultanée d'une sensation et d'un souvenir : un jour, le tintement de sa *cuiller* sur une *assiette* lui a instantanément rappelé le bruit d'un marteau dont un employé se servait pour frapper la roue d'un wagon, alors qu'il était en chemin de fer; *l'inégalité* de deux *dalles* dans la cour des Guermantes vient d'évoquer pour lui une sensation identique ressentie autrefois à Venise; enfin, jadis, la saveur d'une *petite madeleine* plongée dans du thé avait fait renaître le goût du morceau de madeleine que sa tante Léonie lui offrait le dimanche, à Combray, quand il était tout enfant. Ces ébranlements de trois sens différents — l'ouïe, le toucher, le goût — *allaient jusqu'à faire empiéter le passé sur le présent*; le verbe *empiéter* donne une valeur concrète à la notion de simultanéité : on pense à des flots qui s'étendent progressivement sur la terre; il n'y a pas de solution de continuité, mais au contraire adhérence si forte du passé au présent que Proust en **arrivait** *à hésiter à savoir dans lequel des deux* il se trouvait.

La phrase suivante marque un nouveau progrès dans la recherche des « causes profondes » de la joie ressentie. *L'être qui alors goûtait en moi cette impression la goûtait en ce qu'elle avait de commun dans un jour ancien et maintenant* : ainsi, à la simultanéité des deux sensations s'ajoute la perception de leur similitude, au moins partielle. Habituellement, lorsque la mémoire s'applique à évoquer un souvenir à l'occasion d'une sensation, nous n'avons pas conscience de cette similitude, parce que toute une existence différente s'interpose entre le moi présent et le moi d'autrefois; au contraire, dans les cas de « ressouvenirs » fortuits, tout un fragment du passé devient un fragment du présent. Dès lors, le Narrateur peut dire que l'impression était goûtée *dans ce qu'elle avait d'extra-temporel*, car faire coïncider dans une sensation unique deux moments distincts de la durée, c'est s'affranchir de l'ordre du temps, c'est triompher de son implacable déroulement. Ayant mis à jour cette notion insolite d'*extra-temporel*, Proust en extrait tout le contenu, tous les avantages inappréciables : à ces instants d'illumination où un être réveille des souvenirs anciens, il se trouve *dans le seul milieu* où il puisse *vivre*, au sens le plus profond de ce mot, c'est-à-dire *jouir de l'essence des choses*, car il soustrait enfin la réalité aux contingences du temps pour la saisir dans sa nature immuable, sous le signe de l'éternité. Arrivé à ce point de son analyse, le Narrateur est en mesure d'expliquer un fait qui lui avait semblé miraculeux *au moment* où il avait *reconnu, inconsciemment, le goût de la petite madeleine* : il n'avait pas seulement été envahi par un « **plaisir délicieux** », mais la brièveté de **sa vie lui** avait semblé illusoire, ses *inquié-*

tudes au sujet de sa mort avaient *cessé* : en effet, la notion de *mort* ne saurait avoir de sens pour *un être extra-temporel*, qui, par définition, est *insoucieux des vicissitudes de l'avenir.*

Enfin, le Narrateur précise les circonstances qui entravent ou favorisent l'apparition des « ressouvenirs inconscients » : *cet être-là n'était jamais venu à moi, ne s'était jamais manifesté qu'en dehors de l'action,* car celle-ci, qui se propose des buts pratiques et qui implique un engagement dans le temps, nous empêche de descendre dans notre vie réelle et profonde : en dehors aussi de *la jouissance immédiate,* parce que cette jouissance accapare trop notre être pour nous permettre de saisir la richesse de l'instant présent; *cet être-là était venu à moi... chaque fois que le miracle d'une analogie m'avait fait échapper au présent* : le mot *miracle* fait comprendre que ce choc de deux sensations ne se produit qu'exceptionnellement et seulement chez certains êtres en état de grâce. La dernière phrase résume avec une simplicité vigoureuse les résultats acquis : seule la mémoire affective possède *le pouvoir de faire retrouver les jours anciens, le Temps perdu.* Le titre et l'idée génératrice de toute l'œuvre de Proust s'expliquent alors : l'auteur, parti à la recherche du temps perdu, qui semblait mort à jamais, l'a retrouvé, prêt à surgir dans sa réalité complexe et vivante. *Les efforts* de la *mémoire* ordinaire, c'est-à-dire de la mémoire volontaire, *échouaient toujours* dans cette recherche, parce qu'elle ne peut fournir de notre passé que des images simplifiées et sans consistance, « des fac-similés inexacts qui ne ressemblent pas plus au passé que les tableaux des mauvais peintres ressemblent au printemps »; et *l'intelligence* n'arrivait pas à un meilleur résultat, car, travaillant sur des abstractions, elle vide les souvenirs de tout leur contenu affectif et n'en donne que des reproductions desséchées et incolores.

Conclusion. — Ce texte éclaire toute l'œuvre du romancier, en marquant le terme de sa « recherche ». Après avoir dressé le douloureux bilan des inévitables déceptions de la vie, après avoir constaté la désagrégation de son moi en une succession de personnalités successives, Marcel Proust acquiert enfin, grâce à un « expédient merveilleux de la nature », la certitude qu'il existe en lui quelque chose de permanent et même d'éternel. Cette certitude, il l'annonce avec une logique rigoureuse. Si la phrase, comme à l'ordinaire, est sinueuse et flexible, si elle semble se gonfler et se nourrir en chemin, elle a volontairement perdu son velouté, son caractère musical. Le vocabulaire est abstrait, les articulations soigneusement marquées; les idées s'étagent, mutuellement éclaircies. Proust se soumet aux lois de la pensée logique, c'est-à-dire de l'intelligence, au moment même où il exalte l'instinct, sous la forme de la mémoire involontaire.

SIGNATURE DE MARCEL PROUST.

II. — *FORÊT DE CRÉCY*

A la première haleine de la forêt, mon cœur se gonfle. Un ancien moi-même se dresse, tressaille d'une triste allégresse, pointe les oreilles, **avec des narines ouvertes pour boire le parfum....**

Le vent se meurt sous les allées couvertes, où l'air se **balance à peine,**
5 lourd, musqué.... Une vague molle de parfum guide les pas vers la fraise sauvage, ronde comme une perle, qui mûrit ici en secret, noircit, tremble et tombe, dissoute lentement en suave pourriture framboisée dont l'arome enivre, mêlé à celui d'un chèvrefeuille verdâtre, poissé de miel, à celui d'une ronde de champignons blancs.... Ils sont nés de cette nuit, et soulèvent de
10 leurs têtes le tapis craquant de feuilles et de brindilles.... Ils sont d'un blanc fragile et mat de gant neuf, emperlés, moites comme un nez d'agneau; **ils** embaument la truffe fraîche et la tubéreuse.

Sous la futaie centenaire, la verte obscurité solennelle ignore le soleil et **les oiseaux.** L'ombre impérieuse des chênes et des frênes a banni du sol
15 l'herbe, la fleur, la mousse et jusqu'à l'insecte. Un écho nous suit, inquié-tant, qui double le rythme de nos pas.... On regrette le ramier, la mésange; **on désire** le bond roux d'un écureuil ou le lumineux petit derrière des lapins.... Ici, la forêt, ennemie de l'homme, l'écrase.

Colette, *Les Vrilles de la Vigne.*
(Ferenczi, éditeur.)

Introduction. — Ce sont les vacances. Colette séjourne « en marge d'une plage blanche » au bord de la baie de la Somme. Laissant derrière elle ce rivage marin qui la déconcerte toujours un peu, elle, la bourguignonne, elle est partie pour une promenade en automobile; et voici qu'au milieu de ce « pays plat de Picardie » se montre soudain la forêt de Crécy.

Le texte. — Le premier paragraphe traduit une réaction immédiate, involontaire et primitive comme l'instinct; la forêt est perçue comme un être vivant (*haleine* : le vent n'est plus un phénomène physique, il est la respiration d'un organisme); et c'est un être vivant que cette haleine va atteindre, non seulement dans sa sensibilité (*mon cœur se gonfle*), mais dans le souvenir de ce qu'il fut jadis (*un ancien moi-même*). Réveillé soudain, ce souvenir revêt l'unité et l'autonomie d'une personne (*se dresse*). Le carac-tère instinctif de ce « moi » est souligné par la comparaison implicite avec un animal tout à coup attentif : *il tressaille, pointe les oreilles, avec des narines ouvertes*; et le verbe *boire* souligne cette intention en donnant l'impression de l'avidité, de l'abandon total à la sensation, qui est celui des bêtes. Seule, l'expression *tressaille d'une triste allégresse*, qui exprime avec concision le mélange de mélancolie et de joie suscité par tout retour vers un passé lointain (ici, l'enfance paysanne de l'écrivain), indique une complexité de sentiments qui n'est pas celle d'un animal. On remarque le caractère si expressif de l'allitération en *tr* et en *r*.

Le second paragraphe analyse et recrée à la fois la sensation perçue, mais commence, surtout par ses sonorités, à suggérer l'absence de la vie véritable, de la vie animale, que remplace la vie confuse, assoupie, élémentaire des végétaux : *le vent se meurt... l'air se balance à peine, lourd, musqué* (on remarquera l'effet du rythme et des syllabes finales, lentes et comme épaisses), *une vague molle*. Les mots *guide les pas* expriment l'empire de la sensation sur l'être qui l'éprouve, son caractère presque irrésistible ; et la minutie de la peinture qui suit révèle les dons d'observation de l'auteur et l'intérêt passionné qu'il porte aux plus humbles choses de la terre. Après une suite de syllabes éteintes, le mot *perle*, avec sa voyelle claire, met comme une goutte de lumière, et le rythme et les allitérations font revivre à nos yeux les phases de la maturation d'une fraise : aux huit syllabes toniques, mais discrètes, de *qui mûrit ici en secret*, succèdent trois mots de deux syllabes (*noircit, tremble et tombe*) qui traduisent un mouvement plus rapide terminé en chute (allitération en *t*) ; vient alors un membre de phrase très étendu, pour exprimer la lenteur de la décomposition ; l'expression contrastée de *suave pourriture framboisée*, avec ses sonorités complexes et pour ainsi dire fourrées, nous donne la sensation même d'une atmosphère douceâtre, un peu écœurante : impression que maintient et qu'accentue le chèvrefeuille *verdâtre, poissé de miel*, mais dont nous tire tout à coup *la ronde des champignons blancs*. Secouant son malaise naissant, l'attention de l'auteur se porte sur eux avec un mélange d'amusement et d'attendrissement, comme sur de jeunes êtres vivants : *ils sont nés de cette nuit* et *soulèvent de leur tête... un nez d'agneau....* Les comparaisons, précises et imprévues, concourent à l'expression de cette sensation unique : *un blanc fragile et mat de gant neuf... moites comme un nez d'agneau.* Les sonorités complètent l'évocation, tantôt fines, délicates, un peu sèches (*un blanc fragile et mat..., tapis craquant, feuilles, brindilles*), tantôt riches et savoureuses : *ils embaument la truffe fraîche et la tubéreuse.*

Mais l'inquiétude, que suggérait le début du second paragraphe et qu'avait dissipée l'intérêt porté aux plantes et à leurs senteurs, reparaît soudain et se précise : le sentiment d'oppression jusqu'ici latent se mue en la conscience d'une hostilité déclarée et la forêt devient une présence toujours plus menaçante : *l'obscurité... ignore le soleil...* ; *l'ombre impérieuse a banni...* ; *un écho... inquiétant...* Le rythme régulier, les sonorités majestueuses du début (*sous la futaie... et des frênes...*) font place à un rythme coupé, à des sonorités plus sèches qui traduisent la nervosité grandissante de l'auteur : *l'herbe/, la fleur/, la mousse/ et jusqu'à l'insecte... un écho nous suit/, inquiétant... le ramier/, la mésange/....* Poussé par le besoin de sentir près de soi l'animation joyeuse de la vie, l'écrivain ne peut se retenir de voir en imagination *le bond roux d'un écureuil*, puis *le lumineux petit derrière des lapins*, comme si ces évocations gracieuses ou légèrement humoristiques devaient atténuer son angoisse. Le dernier membre de phrase ne suggère plus, il exprime ouvertement l'impression de l'hostilité de la forêt (*ennemie*) et le rythme détache le mot décisif à la sonorité expressive (*l'écrase*).

Conclusion. — **Ce texte est avant tout remarquable par l'intensité de la vie instinctive et l'aptitude à la traduire qu'il révèle chez l'écrivain.** Cette vie instinctive apparaît surtout dans la place donnée à l'odorat, le moins intellectuel et le plus élémentaire de tous les sens ; dans la familiarité avec les êtres et les choses de la campagne. Elle s'exprime en un style précis et pittoresque, riche d'images neuves, de mots pleins de pulpe et de saveur, aux rythmes et aux sonorités constamment suggestifs dans leur souplesse et leur variété. Style avant tout concret, et comme incarné, même dans ses notations les plus déliées et les plus pénétrantes, expression fidèle du tempérament de l'auteur.

◇ SUJETS DE COMPOSITION FRANÇAISE ◇

1. — Commenter cette observation de Ramon Fernandez : « *A la recherche du Temps perdu* est à la fois l'histoire d'une époque et l'histoire d'une conscience. »

2. — Commenter cette indication d'André Gide : « Je suis un être de dialogue et non point d'affirmation. »

3. — Quelles analogies et quelles différences peut-on noter entre *La Comédie Humaine* de Balzac et *Les Rougon-Macquart* de Zola, d'une part, et les grandes sommes romanesques du xxᵉ siècle, d'autre part (*Les Hommes de Bonne Volonté*, de J. Romains; *Les Thibault*, de R. Martin du Gard; la *Chronique des Pasquier*, de G. Duhamel)?

4. — Dans la préface du *Temps du Mépris* (1935), Malraux déclare que le but de l'art est de « donner conscience à des hommes de la grandeur qu'ils ignorent en eux ». A-t-il atteint ce but dans son œuvre?

5. — Montrer que la morale de la grandeur, commune à Montherlant, à Malraux et à Saint-Exupéry, se fonde, chez chacun de ces écrivains, sur des sentiments différents.

6. — L'inspiration religieuse et mystique dans le roman contemporain.

7. — On a dit que Mauriac était le romancier du péché et Bernanos le romancier de la sainteté. Dans quelle mesure cette distinction est-elle fondée?

8. — Commenter ce jugement de M. Marcel Girard sur Colette : « On ne cherchera chez elle ni philosophie profonde, ni caractères exceptionnels. Elle ne connaît que la sensation. »

HENRY DE MONTHERLANT.
Dessin de Matisse.

CHAPITRE III

LE THÉÂTRE

Photo Lipnitzki.

JEAN GIRAUDOUX.

L A période qui s'étend entre les deux guerres mondiales est marquée par une richesse dramatique assez exceptionnelle. Cette richesse est due, dans une large mesure, aux animateurs qui, selon l'exemple donné par Jacques Copeau dans la salle du Vieux-Colombier, ont stimulé, par leurs initiatives de mise en scène, le zèle des auteurs dramatiques.

La comédie garde les faveurs du public et s'oriente souvent, avec Jules Romains, Edouard Bourdet ou Marcel Pagnol, vers la satire des institutions et des mœurs.

D'autres écrivains peignent surtout des caractères ou des conflits dramatiques : parmi eux, les uns, comme Charles Vildrac, cherchent la nuance et s'efforcent d'illustrer une esthétique « intimiste »; d'autres, comme Jean Anouilh, cultivent au contraire une violence explosive.

Mais toute cette période est dominée, malgré la multiplicité des talents, par l'œuvre originale de Jean Giraudoux, qui a restauré sur notre scène l'essence et le climat de la tragédie.

DATES ESSENTIELLES

1913-1924. — Jacques Copeau au Vieux-Colombier.
1923. — Jules Romains : *Knock.*
1928. — Marcel Pagnol : *Topaze.*
1928. — Jean Giraudoux : *Siegfried.*
1935. — Jean Giraudoux : *La Guerre de Troie n'aura pas lieu.*
1937. — Jean Giraudoux : *Électre.*
1937. — Jean Anouilh : *Le Voyageur sans bagage.*
1938. — Jean Anouilh : *La Sauvage.*

I. — LES ANIMATEURS

**LA ROYAUTÉ
DU METTEUR EN SCÈNE**
Antoine et Lugné-Poe, en secouant les routines et en favorisant l'éclosion de jeunes talents, avaient conféré au metteur en scène une importance inconnue jusqu'alors. Avec Jacques Copeau et ses successeurs, Georges Pitoëff, Charles Dullin, Louis Jouvet et Gaston Baty, qui furent un moment fédérés en « Cartel des Quatre », le metteur en scène est promu à une véritable royauté. Il relègue à l'arrière-plan le comédien, parfois même l'auteur, et se présente au public comme un « animateur », un maître de goût pour tout ce qui concerne la mise en scène, le jeu des acteurs et le choix des pièces.

Malgré la diversité de leurs tendances, tous les animateurs ont travaillé dans le même sens : ils ont restauré le prestige du théâtre français en l'élevant au rang d'un art probe qui, loin d'être la copie servile de la réalité, recherche une vérité profonde à travers d'inévitables conventions.

**JACQUES COPEAU
(1879-1949)**
Jacques Copeau, après avoir fondé la *Nouvelle Revue française*, dont il assuma la direction jusqu'en 1913, songe à entreprendre une vaste réforme du théâtre, « abandonné aux spéculations des exploiteurs ». Il découvre, dans le quartier Saint-Sulpice, une étroite salle de patronage : il en fait le Théâtre du Vieux-Colombier. Il y forme une troupe homogène et enthousiaste, qui travaille sans relâche. A cette troupe appartiennent Louis Jouvet, Valentine Tessier, Charles Dullin. Copeau, avec beaucoup d'éclectisme, monte des spectacles très variés : pièces étrangères (*La Nuit des Rois*, de Shakespeare ; *Les Frères Karamazov*, de Dostoïevski) ; pièces classiques (*L'Amour médecin* et *La Jalousie du Barbouillé*, de Molière) ; pièces méconnues (*Le Carrosse du Saint-Sacrement*, de Mérimée) ; pièces inédites (*Saül*, d'André Gide ; *Le Paquebot Tenacity*, de Charles Vildrac). Copeau abandonne le Vieux Colombier en 1924 ; ses disciples, les « Copiaux », devaient plus tard se réunir, sans lui, sous le nom de « Compagnie des Quinze ».

Jacques Copeau défend la cause d'un « théâtre de sincérité », fait de densité et de vigueur, non de faux éclat. Il recommande une mise en scène dépouillée et suggestive : sur un plateau de ciment encadré de quelques draperies, un tronc d'arbre évoquera une forêt. Il exige que tous les membres de sa troupe conjuguent leurs efforts au lieu de rechercher un succès personnel : « Plus de vedettes. Tous les acteurs au même plan : la reine d'hier aujourd'hui servante. » Ainsi placé sous le contrôle permanent du metteur en scène, l'interprète devient le serviteur de l'œuvre.

En somme, le premier des grands animateurs du théâtre contemporain, tout en demeurant accessible aux manifestations du génie moderne, revenait à l'esthétique classique. Il apportait d'ailleurs dans toutes ses entreprises le goût le plus sûr et le plus fin : acteur à l'occasion, mais surtout lecteur et commentateur incomparable, Copeau a pu imposer ses réformes grâce au rayonnement de son autorité personnelle.

**LE CARTEL
DES QUATRE**

Georges Pitoëff (1884-1939). — Pitoëff, originaire de Tiflis, crée une troupe à Genève en 1908; après la guerre, il est engagé par Jacques Hébertot à la Comédie des Champs-Élysées : il révèle à un public nombreux, outre les œuvres de Lenormand, des pièces de Shakespeare, d'Oscar Wilde, de Pirandello, d'Ibsen, de Tolstoï, de Tchekhov, de Gorki, d'Andreïev, de Strindberg. Animateur plein d'idéalisme et de fièvre, il fonde en 1925 une nouvelle compagnie, qui joue la *Médée* de Sénèque, l'*Œdipe* d'André Gide, *Les Criminels* de l'autrichien Bruckner; ses principaux succès sont *Sainte Jeanne*, de Bernard Shaw et *Maison de Poupée*, d'Ibsen. La compagnie se disperse en 1929 et Pitoëff, dès lors, erre de théâtre en théâtre; il meurt, épuisé par un métier auquel il s'est entièrement dévoué.

Charles Dullin (1885-1949). — Charles Dullin, cadet d'une famille de dix-neuf enfants, est commis et clerc d'huissier avant de tenter sa fortune au théâtre. Il appartient d'abord à la troupe du Vieux-Colombier; en 1921, il réunit au théâtre de l'Atelier, place Dancourt, une troupe enthousiaste et crée une école professionnelle d'art dramatique. Dans le choix de ses spectacles, il apporte un grand éclectisme : si Aristophane, Calderon, Pirandello et les classiques français l'attirent particulièrement, il monte aussi des pièces de Jules Romains, de Bernard Zimmer, de Marcel Achard, de Stève Passeur et d'Armand Salacrou; son plus grand succès demeure une adaptation du *Volpone* de Ben Jonson par Jules Romains et Stefan Zweig.

Louis Jouvet (1887-1951). — Louis Jouvet joue le mélodrame, échoue trois fois au Conservatoire, est engagé enfin au Vieux-Colombier, où il reste dix ans. Puis il devient directeur de la Comédie des Champs-Élysées : il y représente avec éclat *Knock* de Jules Romains, *Jean de la Lune* de Marcel Achard, *Le Prof d'Anglais* de Régis Gignoux, *Siegfried*, puis *Amphitryon 38* de Giraudoux. En 1934, il s'installe au théâtre de l'Athénée, où les pièces de Giraudoux et *L'Ecole des Femmes* de Molière lui valent de nouveaux triomphes. Louis Jouvet est un technicien de théâtre épris de clarté et de sobriété; ses mises en scène, réglées avec minutie, allient le respect de la tradition aux exigences du goût moderne. Il attache une importance primordiale au texte et pense, comme Giraudoux, que « le grand théâtre, c'est d'abord un beau langage ».

Gaston Baty (1892-1952). — Gaston Baty crée, en 1923, un théâtre d'essai, les Compagnons de la Chimère, où l'on joue des pièces de J.-J. Bernard et de Denys Amiel. Il s'installe ensuite au studio des Champs-Élysées, puis devient directeur du théâtre Montparnasse, en 1930. Il a monté notamment *Le Simoun* de Lenormand, *Maya* de Gantillon, *Les Caprices de Marianne*, *Lorenzaccio*, et des adaptations scéniques de romans célèbres : *Crime et Châtiment*, *Madame Bovary*. Gaston Baty accorde une importance exceptionnelle à la mise en scène : la magnificence des décors et des costumes, les accessoires, les éclairages et la musique créent, selon lui, au-delà du texte, « une zone de mystère, ce qu'on appelle l'atmosphère, l'ambiance ».

II. — LE THÉATRE COMIQUE

Après la première guerre mondiale, la comédie légère tend à perdre l'audience du public cultivé, mais conserve une certaine vogue dans les théâtres des boulevards. Cependant, quelques auteurs de talent trouvent dans les mœurs du temps une riche matière à la satire; d'autres cultivent une sorte de romantisme et mêlent l'émotion au sourire.

A. — LA COMÉDIE LÉGÈRE

SACHA GUITRY
(1885-1957)

Sacha Guitry débute comme auteur dramatique en 1905, alors que son père, l'acteur Lucien Guitry, se trouve au faîte de sa gloire. Ses premières comédies (*Nono, Le Veilleur de Nuit, La prise de Berg-Op-Zoom*) révèlent des dons de verve et d'observation; mais la critique ne le prend guère au sérieux. Le succès remporté aux Bouffes-Parisiens par *La Jalousie* (1915) marque le début de sa grande faveur. Il devient, dès lors, l'enfant gâté du public parisien, qui applaudit avec le même élan ses comédies gaies (*Faisons un rêve*, 1916; *Mon père avait raison*, 1919; *Désiré*, 1927; *Quadrille*, 1937) et ses fantaisies historiques (*Jean de La Fontaine*, 1916; *Deburau*, 1918; *Pasteur*, 1919; *Mozart*, 1925).

Sacha Guitry a imprimé sa marque à l'esprit boulevardier. Il part généralement d'un thème fort mince, mais agence habilement des péripéties et surtout prodigue les mots d'auteur, les boutades, les paradoxes, avec une étourdissante faconde. Tour à tour désinvolte, impertinent, fantasque ou cocasse, il est lui-même, sous des masques transparents, le héros de ses pièces, qu'il interprète brillamment. Mais il se révèle incapable de discipliner son indiscutable facilité et surtout de mettre en scène le monde de son temps : ses personnages, marionnettes veules et amorales, semblent dès maintenant aussi loin de nous que les oisifs de l'époque 1900, peints jadis par un Capus ou un Lavedan.

HENRI DUVERNOIS
(1875-1937)

Henri Duvernois, romancier et nouvelliste, se situe, avec *Edgar* ou *Crapotte*, dans le sillage de Maupassant. Ses qualités d'observation et d'analyse, qui lui ont permis de peindre la petite bourgeoisie parisienne et d'évoquer le climat montmartrois, se retrouvent dans ses œuvres dramatiques. Il a composé des pièces en trois actes (*Jeanne*, 1932); mais il excelle surtout dans des pochades au dialogue alerte et naturel (*Seul*; *Chabichou*; *Devant la porte*). Sa gaieté, sa verve incisive, se nuancent souvent d'émotion ou de pitié.

JACQUES DEVAL
(né en 1894)

Jacques Deval débute au théâtre avec éclat en faisant jouer *Une faible Femme* (1920), comédie adaptée au goût du boulevard. Il remporte son plus grand succès avec *Tovaritch* (1934), une sorte de vaudeville inspiré par les infortunes des grands émigrés russes. Il s'élève parfois, non sans bonheur, à la peinture satirique des mœurs (*Etienne*; *Mademoiselle*). Ses pièces ont du mouvement, de la fraîcheur; le dialogue, aisé et juste, est émaillé de répliques mordantes.

B. — LA COMÉDIE SATIRIQUE

JULES ROMAINS   Jules Romains, après deux essais de drame unanimiste (*L'Armée dans la Ville*, 1911; *Cromedeyre-le-Vieil*, 1920), s'engage dans la voie de la farce satirique. *Monsieur le Trouhadec saisi par la débauche* (1923) conte l'histoire d'un géographe sénile qui s'est brusquement épris d'une comédienne. La même année, *Knock*, magistralement mis en scène par Jouvet, triomphe à la Comédie des Champs-Elysées : l'observation y est aiguë, la composition vigoureuse, le comique savoureux et puissant; le dialogue, d'une langue sobre et forte, abonde en formules et en aphorismes qui passent la rampe. Jules Romains ne devait pas connaître une égale réussite avec *Le Dictateur* (1926) et *Boën ou La Possession des Biens* (1930), deux pièces plus graves, qu'alourdissent des considérations politiques ou sociales; ni avec *Musse ou L'École de l'Hypocrisie*. Mais le personnage de Le Trouhadec reparaît avec bonheur dans *Donogoo* (1930), farce philosophique sur le thème d'une imposture qui se transforme en vérité.

¶ *Knock.*

Le docteur Knock a acheté la clientèle du docteur Parpalaid, qui végétait à Saint-Maurice, dans le Dauphiné. Il déclare à son confrère qu'il a l'intention d'appliquer une méthode entièrement nouvelle (*Acte I*er). Aussitôt installé, il convoque le pharmacien et l'instituteur, qui vont devenir les instruments de sa propagande; il organise une consultation gratuite, qui attire de nombreux consultants. Knock s'enquiert adroitement de leurs revenus; puis, tout en simulant le plus grand désintéressement, il leur persuade qu'ils sont gravement malades et les envoie se coucher avant de leur faire suivre un traitement régulier (*Acte II*). Trois mois plus tard, le Grand-Hôtel de Saint-Maurice s'est transformé en Médical-Hôtel : les malades y affluent. Parpalaid, qui est venu voir Knock, est abasourdi. Knock lui dévoile alors le principe essentiel de sa méthode : amener les individus à « l'existence médicale », car « tout homme sain est un malade qui s'ignore ». Parpalaid lui-même se laisse persuader qu'il est malade et devient le client de son ingénieux confrère (*Acte III*).

¶ *Donogoo.*

L'éminent géographe Yves Le Trouhadec, candidat à l'Institut, se trouve dans une situation délicate : dans un livre sur l'Amérique du Sud, il a, sur la foi d'informations fantaisistes, décrit la ville de Donogoo, qui n'existe pas. Le subtil Lamendin s'offre à le tirer de difficulté en créant cette cité chimérique. Il réussit à s'assurer le concours d'un banquier véreux qui ouvre une souscription à grand renfort de publicité pour la mise en valeur de la région. Des aventuriers, attirés par l'appât de l'or, affluent de tous les coins du monde; arrivés sur l'emplacement de la prétendue Donogoo, ils ne trouvent qu'une lande dénudée. Harassés, ils s'installent et, en peu de temps, une ville surgit du désert. Lamendin arrive et s'adapte aussitôt à une réalité qui dépasse toutes ses espérances. Il enflamme les cœurs par son verbe, s'installe au palais de la Résidence, s'impose comme dictateur et institue même par décret une religion pour son peuple. M. Le Trouhadec est réhabilité dans sa réputation de savant prestigieux et il est élu triomphalement membre de l'Institut.

Jules Romains excelle particulièrement dans la satire caricaturale. Il pousse souvent sa peinture jusqu'à l'outrance burlesque : rien de plus bouffon que le programme dictatorial du docteur Knock, qui consiste à mettre au lit toute la population d'un village. Comme les fabliaux du Moyen Age, d'ailleurs, les farces de Jules Romains cachent une moralité sous leur extravagance apparente : *Knock* et *Donogoo*, glorifient plaisamment l'Imposture et de l'Erreur scientifique, mais laissent entendre que la science bien comprise devrait libérer l'homme au lieu de l'asservir.

ÉDOUARD BOURDET
(1887-1944)

Édouard Bourdet débute au théâtre dès 1910 avec *Le Rubicon*; mais il s'impose avec *La Prisonnière* (1926) et trouve sa voie dans la peinture satirique des mœurs. Dans *Vient de paraître* (1927), il fustige avec une verve caricaturale les tares des milieux littéraires : arrivisme et cabotinage des romanciers; cynisme et mercantilisme des éditeurs; corruption des critiques. Dans *Le Sexe faible* (1929), il décrit le cynisme inconscient de certains étrangers qui fréquentaient à cette époque les palaces parisiens. Dans *La Fleur des Pois* (1932), il peint une aristocratie intellectuellement affaiblie et moralement corrompue. Dans *Les Temps difficiles* (1934), une comédie qui rappelle la manière d'Henry Becque, il s'élève à la haute satire en analysant avec âpreté les ravages provoqués par l'appât du gain dans la grande bourgeoisie industrielle et les conséquences morales de la crise économique. Dans *Fric-Frac* (1935), fantaisie vaudevillesque, il conte la plaisante aventure d'un naïf employé qui s'est fourvoyé parmi les mauvais garçons. Nommé administrateur de la Comédie-Française en 1936, Bourdet fit preuve d'autorité et d'initiative : notamment, il eut recours, pour des mises en scène, aux quatre grands animateurs du théâtre contemporain, Jouvet, Dullin, Pitoëff et Baty.

Édouard Bourdet connaît à fond les ressources du métier dramatique. Il construit ses pièces avec une rigueur mathématique : après un premier acte ample et vif qui crée l'atmosphère, l'intrigue se noue, puis rebondit sans languir jusqu'au dénouement. Par goût de la difficulté à vaincre, il s'attaque à des sujets hardis, qu'il traite avec franchise et avec tact. A ses dons de dramaturge, il joint des qualités d'observation, qu'il exerce sur des catégories sociales (hommes de lettres, grands bourgeois), plutôt que sur des individus. Le dialogue de ses pièces, naturel et précis, est émaillé de répliques vives qui font balle.

MARCEL PAGNOL
(né en 1895)

Marcel Pagnol collabore d'abord avec Paul Nivoix dans *Les Marchands de Gloire* (1925), violente satire dirigée contre les profiteurs de guerre; puis il écrit seul les quatre actes de *Jazz* (1926), une œuvre hybride, mi-satirique, mi-lyrique. Mais son premier grand succès est *Topaze* (1928), qui tient sans interruption pendant deux ans l'affiche des Variétés; cette comédie, qui montre l'extraordinaire métamorphose d'un obscur et honnête professeur en homme d'affaires véreux, contient des attaques virulentes contre les prévarications des politiciens, la vénalité d'une certaine presse et la déchéance morale d'une époque où l'argent est le secret de la force. En même temps que *Topaze* triomphe au Théâtre de Paris une comédie marseillaise, *Marius*, complétée plus tard par *Fanny* (1929) et *César* (1931); tout l'ancien Vieux Port y revit avec son soleil éblouissant, sa vie bruyante et indolente à la fois, ses types du terroir, les uns bravaches et couards, d'autres sensibles et tourmentés de rêves d'évasion. Pagnol s'est consacré ensuite au cinéma, où il connut aussi de brillantes réussites.

Marcel Pagnol, satirique de belle humeur, possède un sens inné du théâtre : ses personnages, sommaires, mais finement observés, expriment les sentiments les plus simples dans un dialogue qui a le mouvement et la chaleur de la vie.

Photo Lipnitzki.

« KNOCK » DE JULES ROMAINS.
(Acte premier.)

L'automobile du docteur Parpalaid.

Photo Lipnitzki.

« LE BAL DES VOLEURS » DE JEAN ANOUILH.
(Acte premier.)

Un kiosque à musique, dans une station thermale.

C. — LA COMÉDIE ROMANTIQUE

JEAN SARMENT
(né en 1897)

Jean Sarment appartient d'abord, comme acteur, à la troupe du Vieux-Colombier. En 1920, il fait représenter au théâtre de l'Œuvre une pièce composée à l'âge de dix-neuf ans, *Couronne de Carton*, qui conquiert le public par un attrayant mélange de désinvolture et d'inquiétude. Des comédies lyriques aux titres de complaintes : *Le Pêcheur d'Ombres* (1921); *Je suis trop grand pour moi* (1924); *Les plus beaux Yeux du Monde* (1925); *Léopold le Bien-Aimé* (1927) confirment les espoirs fondés sur le jeune écrivain, qui cède quelque peu, par la suite, à la tentation de la facilité.

Jean Sarment, imprégné de Shakespeare, de Musset, de Jules Laforgue, est, au théâtre, le poète des troubles du cœur. Tous ses héros sont frères : ardents et désenchantés, sans volonté et presque sans ambition, ils voient leurs rêves se briser aux angles du réel; un dialogue en demi-teintes note les nuances fugitives de leurs états d'âme.

MARCEL ACHARD
(né en 1899)

Marcel Achard, souffleur au Vieux-Colombier, puis journaliste, obtient son premier succès en 1923, à l'Atelier, où Charles Dullin monte *Voulez-vous jouer avec moâ*, une comédie qui se déroule dans le monde du cirque. Ses pièces suivantes, *Malbrough s'en va-t'en guerre* (1924), *La Vie est belle* (1928) plaisent par leur fraîcheur primesautière. En 1929, *Jean de la Lune* triomphe à la Comédie des Champs-Elysées : dans cette œuvre à la fois cruelle et tendre, le héros, Jef, par la candeur obstinée de son amour, désarme la perfide Marceline et la modèle sur l'image idéale qu'il s'est formée d'elle. *La Belle Marinière* (1929); *Domino* (1931); *Pétrus* (1933); *Noix de Coco* (1935); *Le Corsaire* (1938) connaissent une réussite moins brillante; *Patate* (1957) renoue avec le grand succès.

Les personnages de Marcel Achard se ressemblent tous, comme ceux de Sarment : lunaires et gouailleurs, ingénus et falots, ils évoluent dans un univers de rêve, où tout finit par s'arranger; le dialogue, libre et nonchalant, séduit par une fantaisie qui se voile parfois de mélancolie.

ARMAND SALACROU
(né en 1900)

Armand Salacrou débute à la scène avec des œuvres touffues et bizarres, encombrées de réminiscences littéraires, dont les héros sont des rêveurs ou des illuminés (*Patchouli*, 1927; *Atlas-Hôtel*, 1931). Il s'oriente ensuite, tout en conservant une certaine fantaisie dans l'affabulation et dans la forme, vers la peinture des milieux bourgeois (*Une Femme libre*, 1934; *L'Inconnue d'Arras*, 1935). En 1938, il confie à Charles Dullin une pièce ambitieuse, mi-lyrique, mi-parodique, *La Terre est Ronde*, qui évoque la Florence du XVIᵉ siècle et dénonce les doctrines totalitaires. L'œuvre d'Armand Salacrou, diverse et chaotique, révèle des dons éclatants : l'invention y est fertile, le dialogue nerveux, le comique sardonique.

III. — LE THÉATRE PSYCHOLOGIQUE

Vers 1920, quelques jeunes auteurs veulent réagir contre l'artifice et le verbalisme qui ont envahi tant d'œuvres dramatiques au début du siècle; ils mettent en scène des personnages « comme tout le monde », qu'ils engagent dans une action simple, à l'image de la vie quotidienne; et ils recourent à un dialogue bref, dont les répliques, souvent insignifiantes en apparence, révèlent la vie secrète des âmes : Charles Vildrac, Paul Géraldy, Denys Amiel, Jean-Jacques Bernard, sont les meilleurs représentants de cette esthétique intimiste. D'autres dramaturges préfèrent aux nuances et aux demi-teintes une expression tendue et violente, qu'ils jugent en harmonie avec le tourment de l'époque : parmi eux, Henri-René Lenormand, Stève Passeur, Paul Raynal et surtout Jean Anouilh.

A. — LES INTIMISTES

CHARLES VILDRAC
(né en 1882)

Charles Vildrac fait représenter en 1920 au Vieux-Colombier *Le Paquebot Tenacity*, une pièce en trois courts tableaux où de nombreux critiques virent la promesse d'un renouveau dramatique : c'est l'histoire de deux ouvriers typographes qui ont décidé de chercher fortune en Amérique et qui, retardés au port par une avarie de machine, s'installent dans une auberge et s'éprennent de la servante; après un cruel débat, l'un cède à l'appel du large, tandis que l'autre demeure. Après *Michel Auclair* (1922), *Madame Béliard* (1925) et *Le Pèlerin* (1926), *La Brouille* triomphe en 1930 à la Comédie-Française : il s'agit seulement d'une querelle entre vieux amis, qui atteint deux familles étroitement liées; mais, de ce sujet banal et volontairement dépouillé de circonstances extérieures, l'auteur a tiré une comédie d'une humanité profonde.

Charles Vildrac est un écrivain probe et sincère, indifférent aux succès tapageurs; son œuvre discrète rend constamment un son juste. Il étudie l'homme dans la permanence de sa nature, mais il s'efforce de le situer dans la vie moderne. Il met en scène des personnages d'humble ou médiocre condition, ouvriers, contremaîtres, petits industriels, petits bourgeois; et il les peint dans l'intimité de leur existence journalière, mais en un moment de crise où affleurent à la conscience les sentiments cachés : dans *Le Paquebot Tenacity*, l'amour révèle à eux-mêmes Bastien et Ségard; dans *Madame Béliard*, l'héroïne découvre la nuance exacte de la sympathie que lui a inspirée l'ingénieur Saulnier en apprenant la passion éprouvée pour lui par sa nièce Madeleine; dans *Le Pèlerin*, la visite d'un oncle, grand voyageur, éveille chez Denise, jeune provinciale sédentaire, le désir d'aventure et d'évasion qui sommeillait en elle à son insu; dans *La Brouille*, une dispute absurde et imprévue met au jour les petites animosités que recouvre la plus solide affection. En pénétrant ainsi, à l'occasion d'une épreuve morale, jusqu'au fond de l'âme de ses personnages, Vildrac décèle souvent, à côté de sentiments vils ou mesquins, des trésors cachés de sensibilité et même de poésie.

DENYS AMIEL
(né en 1884)

Denys Amiel s'est imposé au théâtre en écrivant avec André Obey une tragi-comédie bourgeoise, *La Souriante Madame Beudet* (1921) : l'héroïne, mariée à un homme vulgaire, cache longtemps sa détresse, cède un moment à une pensée criminelle, puis, contre toute attente, se réconcilie avec son époux à la faveur d'un malentendu. Après ce premier succès, Amiel analyse les divergences sentimentales entre générations (*Décalage*, 1931; *La Femme en fleur*, 1935), décrit la passion de l'indépendance chez une jeune fille moderne (*Ma Liberté*, 1936) ou montre les aspects nouveaux des relations entre parents et enfants d'aujourd'hui (*Famille*, 1937). *Son œuvre se rattache à l'esthétique de l'inexprimé; pour lui, cependant, « garder le silence ne signifie pas se taire »; ses personnages parlent souvent beaucoup, mais déguisent volontairement ou non sous leurs propos leurs pensées véritables, que le drame met au jour* : « Penchés sur le texte comme sur un aquarium, nous devons voir en transparence tout ce qui se meut au-dessous, descend, zigzague, remonte à la surface de temps à autre, comme la promenade sous-marine de nos sentiments ».

PAUL GÉRALDY
(né en 1885)

Paul Géraldy s'est fait connaître avant la guerre par un recueil de poèmes intimes, *Toi et Moi*, qui obtint un immense succès de librairie. Il aborde la scène en 1917 avec *Les Noces d'Argent*, une pièce bourgeoise sur le thème des crises qui peuvent naître dans un foyer au moment où les enfants, impatients de vivre, échappent à la tutelle familiale. En 1921, *Aimer* décrit le malaise d'un ménage et la tentation de l'aventure, chez l'un des époux, après dix ans de vie commune; *Robert et Marianne* (1925), *Christine* (1932), analysent des conflits analogues, ainsi que *Duo*, douloureuse pièce adaptée d'un roman de Colette. Il y a plus de légèreté dans *L'Homme de Joie* (1929), comédie boulevardière écrite en collaboration avec Robert Spitzer. *Paul Géraldy est avant tout le dramaturge des infortunes de l'amour conjugal*; les conflits passionnels qu'il met en scène se déroulent avec une simplicité et une sobriété classiques : trois personnages (*Aimer*) ou même deux seulement (*Robert et Marianne*) occupent la scène, et l'intérêt naît du spectacle de leurs tourments.

JEAN-JACQUES BERNARD
(né en 1888)

Jean-Jacques Bernard, fils de Tristan Bernard, fait jouer en 1921 au Théâtre des Escholiers une pièce inspirée par la guerre, *Le Feu qui reprend mal* : le héros est un combattant qui rentre au foyer conjugal et qui traverse une crise de jalousie rétrospective en apprenant l'hospitalité, sans doute innocente, donnée par sa femme à un jeune officier américain. L'année suivante, *Martine*, mélancolique histoire d'une petite paysanne qui aime et souffre en silence, illustre à merveille l'esthétique intimiste. Les pièces postérieures sont moins réussies. *Jean-Jacques Bernard peint des êtres sincères et simples qui, par timidité ou pudeur, se renferment en eux-mêmes*; leurs paroles, brèves ou banales, laissent deviner comme un dialogue sous-jacent lourd de réflexion, ou d'angoisse; l'art de l'auteur, délicat et subtil, crée autour d'eux une atmosphère de poésie contenue.

B. — LES VIOLENTS

H.-R. LENORMAND
(1882-1950)

Henri-René Lenormand avait déjà fait représenter, avant la guerre, *Les Possédés* (1909). A partir de 1919, il confie généralement la mise en scène de ses pièces à Georges Pitoëff et acquiert en quelques années une grande notoriété (*Le Temps est un Songe*, 1919; *Les Ratés*, 1920; *Le Simoun*, 1920; *Le Mangeur de Rêves*, 1922; *L'Homme et ses fantômes*, 1924; *Le Lâche*, 1925).

Lenormand, qui s'est intéressé aux théories de Freud et qui a subi l'influence de Pirandello, veut renouveler le théâtre en lui assignant comme domaine les troubles morbides de l'âme. Au « héros cartésien, totalement analysable », il substitue l'homme livré « aux puissances dissolvantes qui émanent de son inconscient ». Ses personnages s'analysent, se débattent et, le plus souvent, s'enfoncent implacablement dans une pitoyable déchéance : ainsi, dans *Le Lâche*, un artiste nerveux et sans volonté, qui simule une maladie pour échapper à la mobilisation, subit et fait subir à sa femme, dans le désarroi de sa conscience, les pires tortures morales, puis, d'aventure en aventure, se rend coupable de trahison et meurt fusillé. L'œuvre de Lenormand, haletante et hallucinée, atteint parfois à une grande intensité dramatique; tout en sondant les profondeurs de la vie mentale, l'auteur parvient à créer autour de ses personnages un halo de mystère et d'angoisse.

PAUL RAYNAL
(né en 1885)

Paul Raynal débute en 1920 avec *Le Maître de son Cœur*, drame de l'amitié et de l'amour. Ses œuvres les plus marquantes lui ont été inspirées par la guerre : dans *Le Tombeau sous l'Arc de Triomphe* (1924), il décrit la révolte des combattants contre l'inconscience des civils qui acceptent trop naturellement leur sacrifice; dans *La Francerie* (1929), il évoque la bataille de la Marne; dans *Le Matériel humain* (1935), il prend pour point de départ les mutineries de 1917 sur le front de Macédoine et il illustre avec vigueur un cruel conflit entre les exigences de la discipline et celles de l'humanité.

Paul Raynal a conçu l'ambition de créer une formule de tragédie moderne. Il se borne à camper un petit nombre de personnages, qui s'affrontent jusqu'à l'épuisement dans des luttes inexorables; et il construit ses pièces avec une extrême économie de moyens. Il possède le sens du pathétique, mais cède parfois, dans l'expression, à une fâcheuse emphase.

STÈVE PASSEUR
(né en 1899)

Stève Passeur a connu quelques succès retentissants : *Suzanne* (1929); *L'Acheteuse* (1930); *Les Tricheurs* (1932); *Je vivrai un grand amour* (1935). *Il cultive la violence par système et peint des situations exceptionnelles où les sentiments s'exaspèrent jusqu'à un paroxysme* : plusieurs de ses héroïnes prennent un plaisir sauvage à torturer des hommes veules qui se complaisent dans leur tourment. L'action, constamment tendue, est fertile en surprises; le dialogue frappe ou irrite par son âpreté agressive.

JEAN ANOUILH
(né en 1910)

Jean Anouilh est né à Bordeaux, mais il se fixe de très bonne heure à Paris, où il suit les cours du Collège Chaptal. Étudiant à la Faculté de Droit, puis agent de publicité, il manifeste un grand intérêt pour le théâtre et devient un moment le secrétaire de Louis Jouvet. Le *Siegfried* de Giraudoux l'enthousiasme et l'incite à écrire pour la scène. *L'Hermine* (1932), *Mandarine* (1933), *Y avait un prisonnier* (1935) déconcertent le public mondain; mais *Le Voyageur sans bagage* (1937), joué par Georges Pitoëff, remporte un succès considérable, ainsi que *La Sauvage* (1938). Jean Anouilh forme ensuite une association avec le metteur en scène André Barsacq, successeur de Dullin à l'Atelier; il lui confie *Le Bal des Voleurs* et *Le Rendez-vous de Senlis*, deux pièces plus détendues, « pièces roses », comme il les nomme lui-même par opposition à ses « pièces noires ».

¶ *Le Voyageur sans bagage.*

Après la guerre de 1914-1918, un soldat amnésique a été interné dans un asile où il a vécu insouciant, occupé à d'humbles besognes. Une vieille duchesse a entrepris de lui faire retrouver sa famille. Elle l'introduit chez des bourgeois cossus de province qui reconnaissent aussitôt en lui leur fils Jacques, porté disparu. Bribe par bribe, il recueille de bouleversantes révélations sur l'enfant gâté et malfaisant qu'il fut jadis lui-même; en outre, il constate la bassesse morale de ceux qu'il devrait désormais considérer comme les siens. Décidé à rompre, sans retourner à l'asile, avec son cruel passé, il recourt à un subterfuge et se fait reconnaître comme parent d'un jeune collégien d'Eton, avec lequel il partira pour l'Angleterre : là, il pourra, enfin libre, commencer une vie neuve.

¶ *La Sauvage.*

Le célèbre compositeur Florent France s'est épris d'une petite violoniste, Thérèse Tarde, et veut l'épouser. Thérèse est un être sensible et demeuré pur dans un milieu taré. Elle aime Florent et aspire à vivre heureuse avec lui. Florent l'accueille dans une maison confortable et tranquille; mais cette quiétude même éveille sa honte : elle se sent baignée de facilité et elle éprouve l'impression d'être une étrangère au sein d'une famille qui n'a jamais fait l'épreuve de la misère humaine; elle s'acharne alors à détruire son propre bonheur. La veille du jour fixé pour son mariage, elle revoit tous les fantômes de son passé, tous les êtres misérables qui ont besoin du réconfort de sa présence; elle renonce à Florent; et, sacrifiant sa propre sécurité, elle s'échappe sans un regret de sa belle cage dorée.

L'univers d'Anouilh. — *Dans l'univers d'Anouilh s'affrontent deux sortes d'êtres : d'un côté, les êtres vulgaires, les fantoches,* tel, dans *La Sauvage*, le père de Thérèse, prêt à toutes les bassesses pourvu qu'on le laisse vivre confortablement chez Florent; *de l'autre, les « gens de la bonne race », les héros,* comme Thérèse elle-même. Ivres de pureté, ces héros refusent tout compromis et s'efforcent avec une intraitable obstination de satisfaire aux exigences de leur idéal; mais ils se heurtent à chaque instant aux contraintes et aux laideurs du monde; ils se réfugient alors dans un désespoir orgueilleux ou cherchent leur délivrance dans la mort : « La mort est douce...; elle est bonne, elle est effroyablement bonne...; la mort seule est une amie... Avec elle, tout devient pur, lumineux, limpide. »

Le talent d'Anouilh. — *Le théâtre d'Anouilh est animé d'une conviction pathétique :* la révolte de ses personnages, leur obsession de la détresse humaine, s'expriment avec des accents rauques et poignants, qui éveillent chez le spectateur, dans ses meilleures pièces, une émotion violente. Le langage est dru, mordant et, par endroits, d'une provocante trivialité.

IV. — JEAN GIRAUDOUX (1882-1944)

J EAN GIRAUDOUX, *diplomate et romancier, avait quarante-six ans lorsqu'il fit ses débuts au théâtre; mais il s'imposa d'emblée. Légères ou graves, presque toutes ses pièces furent des réussites, qui lui valurent d'accéder au premier rang parmi les écrivains dramatiques de sa génération.*

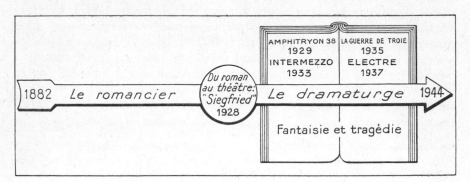

A. — LA CARRIÈRE DE GIRAUDOUX

LE ROMANCIER

Jean Giraudoux, né à Bellac, dans le Limousin, fit de brillantes études au lycée de Châteauroux, puis à l'École Normale Supérieure. Il débute en littérature avec ses spirituelles et frivoles *Provinciales* (1909). L'année suivante, il entre au Ministère des Affaires Étrangères. Dès lors, il mène de front sa carrière de diplomate et son activité d'écrivain. Après la guerre de 1914-1918, où il sert comme officier en France et en Orient, il compose des romans d'une substance un peu mince, mais riches d'intelligence subtile et d'humour gracieux (*Simon le pathétique*, 1918; *Suzanne et le Pacifique*, 1921; *Siegfried et le Limousin*, 1922; *Juliette au Pays des Hommes*, 1924; *Bella*, 1926).

DU ROMAN AU THÉÂTRE : SIEGFRIED

En 1927, Giraudoux publie, sous forme dialoguée, quelques pages de *Siegfried et le Limousin*. Des amis l'encouragent à compléter cette adaptation : d'un roman sinueux, l'écrivain tire alors une pièce solidement charpentée, qui est mise en scène par Louis Jouvet en mai 1928.

¶ *Siegfried.*

Après la guerre de 1914-1918, l'allemande Eva a recueilli dans une gare de triage un soldat sans papiers et sans souvenirs. Rééduqué, il est devenu un allemand cultivé et il a connu une rapide ascension politique. Le voici conseiller d'Etat et premier homme de l'Allemagne nouvelle, dont il voudrait faire une république pacifique. Le baron Zelten, attaché aux traditions de la vieille Allemagne, voit en lui un adversaire dangereux; ayant appris que Siegfried était avant la guerre un journaliste français nommé Jacques Forestier, il fait venir de France son ancienne fiancée, Geneviève Prat. Présentée à Siegfried, Geneviève lui donne des leçons de français. Siegfried entrevoit, puis découvre la vérité. Après bien des hésitations, il se résout à quitter Eva et à suivre Geneviève, mais il unira désormais en lui ses deux personnalités successives.

LE DRAMATURGE Après le triomphe de *Siegfried*, Giraudoux compose encore quelques romans (*Aventures de Jérôme Bardini ; Combat avec l'Ange ; Choix des Élues*) et publie quelques études critiques (*Les Cinq Tentations de La Fontaine*) ; mais il se consacre surtout à la scène et jouit d'une vogue presque constante auprès du public. Son talent s'exerce avec le même bonheur dans la fantaisie et dans la tragédie. *Amphitryon* 38 (1929) ; *Judith* (1931), accueilli avec moins de faveur ; *Intermezzo* (1933) ; *Tessa* (1934) ; *La Guerre de Troie n'aura pas lieu* (1935) ; *Électre* (1937) ; *Cantique des Cantiques* (1938) ; *Ondine* (1939) demeurent ses œuvres maîtresses. Une pièce en un acte, *L'Impromptu de Paris* (1937) où, selon l'exemple de Molière, il met en scène ses propres interprètes, illustre ses idées sur l'art dramatique. Secrétaire général à l'Information en 1939-1940, il revient au théâtre après l'armistice : en 1943, il fait jouer *Sodome et Gomorrhe* (1943). A sa mort, enfin, il laisse deux pièces importantes, *La Folle de Chaillot* (créée en 1945), *Pour Lucrèce* (créée en 1953) et une pochade, *L'Apollon de Bellac*.

¶ Une fantaisie : Intermezzo.

Un spectre a mis en révolution une paisible cité du Limousin. Sous l'influence de cette puissance occulte, les enfants maltraités quittent leurs parents, les pauvres gens gagnent à la loterie, la mort s'empare des personnes les plus âgées, les plus avares et les plus acariâtres. Ce spectre n'est visible que pour la charmante Isabelle, suppléante de l'institutrice : tous les jours, elle le rencontre au crépuscule. Pénétrée de ses enseignements, Isabelle initie ses élèves à une vision toute nouvelle et toute fraîche du monde : les classes ont lieu au grand air, les rebutantes sciences exactes font place à de gracieuses vérités approximatives, les leçons de morale sont remplacées par des fêtes printanières. Le scandale ne peut durer. Un inspecteur est chargé d'une enquête. Les écoliers sont confiés au contrôleur des poids et mesures ; mais ce fonctionnaire est amoureux d'Isabelle et donne, lui aussi, un enseignement plein de fantaisie. L'inspecteur fait alors tuer le spectre, qui renaît sous la forme d'un beau sapin et continue à exercer sur Isabelle son pouvoir de séduction.

Seul le contrôleur arrive, par la force de son amour, à libérer la jeune fille de ce pouvoir occulte. Vaincu par un vivant, le spectre fait ses adieux à Isabelle, mais elle perd connaissance au cours de l'entretien. Un droguiste, « que le destin utilise pour les transitions », conjure alors pour la réveiller tous les bruits de la ville. Isabelle sort de son évanouissement et reprend contact avec la terre : elle se dispose à épouser le contrôleur et à devenir une femme raisonnable. Tout rentre dans l'ordre : « L'argent va de nouveau aux riches, le bonheur aux heureux. » L'intermède est fini.

¶ Une tragédie : Électre.

Agamemnon, le roi des rois, est mort dans des circonstances étranges. Son épouse Clytemnestre s'est emparée du pouvoir en compagnie d'Egisthe. Son fils, Oreste, en bas âge, a été envoyé hors du pays, tandis que sa fille Électre est demeurée à Argos. Plusieurs années se sont écoulées dans le calme et l'oubli : Égisthe, régent d'Argos, ne songe plus qu'à faire régner la justice sur la ville. Mais Électre, hantée par la mort de son père, éprouve une haine inexpliquée contre sa mère et contre Égisthe. Pour en conjurer les effets, Égisthe éloigne d'elle tous les prétendants royaux et décide de la marier à un jardinier : introduite dans une famille sans gloire, elle cessera, pense-t-il, d'attirer sur elle l'attention du destin.

Cependant, un étranger se présente au palais. Il se découvre à Électre : il est Oreste, son frère. Ce retour inespéré amène Électre à rechercher obstinément la vérité. Elle harcèle de questions Clytemnestre et Égisthe. Clytemnestre ergote ; Égisthe demande un délai d'un jour pour sauver la ville assiégée par les Corinthiens. Mais Électre refuse : la lumière doit être faite sur-le-champ. Clytemnestre aux abois crie enfin le dégoût que lui inspirait son époux Agamemnon. Un mendiant philosophe et visionnaire conte en détail comment le roi est mort ; son récit met à nu la culpabilité de Clytemnestre et d'Égisthe. Électre, éclairée, arme le bras de son frère, qui frappe les assassins. Cependant, les Corinthiens ont donné l'assaut et massacrent les habitants d'Argos. La ville, complice des régicides, meurt ; mais Électre sait qu'elle renaîtra un jour, purifiée.

Photo Lipnitzki.

DEUX SCÈNES DU THÉÂTRE DE GIRAUDOUX.

En haut, Électre (au premier plan, à gauche, Louis Jouvet dans le rôle du mendiant).
En bas, Ondine (assis au centre, Louis Jouvet dans le rôle du Chevalier Hans).

B. — L'ORIGINALITÉ DE GIRAUDOUX

LA PRÉÉMINENCE DE LA PENSÉE *Giraudoux condamne les écrivains qui, en s'abandonnant à une dangereuse routine, ont compromis la réputation du théâtre et l'ont fait parfois considérer comme un genre mineur* : « Si, à Paris, le public a risqué de perdre la notion du théâtre, c'est-à-dire du plus grand des arts, c'est qu'un certain nombre d'hommes de théâtre ont prétendu ne faire appel qu'à sa facilité et par suite à sa bassesse. Il s'agissait de plaire par les moyens les plus communs et les plus vils. Il importe donc de restituer au théâtre sa noblesse, son éminente dignité. » (Discours prononcé en 1931 devant les anciens élèves du lycée de Châteauroux.)

Il rompt, quant à lui, avec les formules traditionnelles qui faisaient résider l'intérêt dramatique, soit dans l'agencement de l'intrigue, soit dans la représentation de conflits psychologiques. Peu soucieux d'inventer des sujets, il brode sur des mythes anciens ou sur des légendes bibliques; il tient à préciser qu'il reprend pour la trente-huitième fois le sujet d'*Amphitryon*; il adapte, dans *Tessa*, un roman anglais de Margaret Kennedy et, dans *Ondine*, un conte allemand de la Mothe-Fouqué. Peu enclin à peindre des caractères, il crée une humanité idéale, d'où sont bannies, sauf exception, les rancunes sordides, les machinations tortueuses, les jalousies féroces, qui constituent, pour tant de dramaturges, l'aliment essentiel.

Il se propose, pour rendre au théâtre sa dignité, d'éveiller chez le spectateur le goût des graves problèmes et des vérités éternelles : « Le spectacle est la seule forme d'éducation morale ou artistique d'une nation. Il est le seul cours du soir valable pour adultes et vieillards, le seul moyen par lequel le public, le plus humble et le plus lettré, peut être mis en contact avec les plus hauts conflits. » Tout en se gardant d'utiliser la scène comme une tribune pour l'expression ou la confrontation des idées, il choisit pour point de départ quelque grand thème sur lequel puisse s'exercer la réflexion : la fidélité, la pureté, l'orgueil, les métamorphoses de la personnalité, la paix et la guerre, la vie et la mort, la destinée du couple humain. Il crée alors une sorte de complicité entre les personnages et le public, qui est constamment pris à témoin et invité à s'engager dans la discussion. Certains rôles n'ont même d'autre utilité que de commenter l'action à la manière du chœur antique et d'en dégager une philosophie : celui du Droguiste dans *Intermezzo*, ceux du Mendiant et du Jardinier dans *Électre*, celui du Chiffonnier dans *La Folle de Chaillot*.

Le débat se déroule, non pas dans un décor vulgaire, mais dans un cadre solennel où l'on respire un air plus pur, sur quelque haut plateau d'heureuse lumière. Le spectateur oublie alors la médiocrité des contingences quotidiennes et accède librement, lui aussi, dans une sorte de rêve, au monde des idées : les mots qu'il entend sont pleins et rendent un son définitif. La scène de *La Guerre de Troie* qui met en présence Ulysse et Hector, deux chefs également désireux d'éviter la guerre, mais conscients, à des degrés divers, des menaces qui pèsent sur leurs peuples, fournit un exemple de ces moments où Giraudoux atteint l'essence des choses à travers une poétique irréalité.

LES SORTILÈGES DU STYLE *Dans une dramaturgie d'une conception aussi élevée, le langage doit jouer un rôle primordial.* Le style, « ce secret dont l'écrivain est le seul dépositaire », est l'instrument qui, par ses sortilèges, mettra en branle l'imagination et la sensibilité du spectateur. Sur ce point, Giraudoux accomplit une vraie révolution : le Verbe, à ses yeux, est la noblesse du théâtre et l'art dramatique ne mérite d'appartenir à la littérature qu'à la condition de s'imposer par un style.

En fait, la prose de Giraudoux est un phénomène inédit et unique sur la scène française. Ses phrases coulent de source sans jamais donner la sensation de l'effort, éveillant chez l'auditeur un émoi subtil et discrètement sensuel grâce à l'harmonie des mots et à la souple cadence du rythme. Cette prose, toujours euphonique, s'oriente comme naturellement vers la préciosité, car la préciosité est, pour Giraudoux, la forme qui s'adapte le mieux à sa vision du monde, en établissant entre les choses certains rapports inédits, qui étonnent d'abord, puis frappent par leur évidence, comme des vérités jusque là ignorées.

LE PRESTIGE DE L'ŒUVRE *Le théâtre de Giraudoux, malgré quelques concessions à une virtuosité gratuite, constitue une réussite exceptionnelle et marque une date importante dans l'histoire de l'art dramatique français.* Giraudoux prodigue à travers ses pièces une intelligence souple et pénétrante; il séduit les spectateurs par la splendeur de son langage; il a eu surtout le mérite de répondre aux préoccupations d'une époque tourmentée en restaurant sur la scène l'essence et le climat de la tragédie. De l'inspiration tragique, ses œuvres les plus fortes ont rassemblé les éléments majeurs : la pureté schématique, la densité, le sens de la fatalité; constamment pèsent sur le drame les forces sombres du destin.

OUVRAGES À CONSULTER

R. LALOU. *Le Théâtre en France depuis* 1900 (Presses Universitaires de France, 1951).

R. BRASILLACH. *Animateurs du Théâtre* (Corréa, 1935).

P. BLANCHART. *Jules Romains et son Univers dramatique* (Éd. du Pavois, 1945). — H. GIGNOUX. *Jean Anouilh* (Éd. du Temps présent, 1947). — J. HOULET. *Le Théâtre de Giraudoux* (Ardent, 1945. — R. MARILL-ALBÉRÈS. *Esthétique et Morale chez Jean Giraudoux* (Nizet, 1957).

Photo Lipnitzki.

GIRAUDOUX ET JOUVET À UNE RÉPÉTITION D'« ÉLECTRE ».

◇ TEXTE COMMENTÉ ◇

DISCOURS AUX MORTS

O vous qui ne nous entendez pas, qui ne nous voyez pas, écoutez ces
paroles, voyez ce cortège. Nous sommes les vainqueurs. Cela vous est bien
égal, n'est-ce pas? Vous aussi, vous l'êtes. Mais nous, nous sommes les
vainqueurs vivants. C'est ici que commence la différence. C'est ici que j'ai
5 honte. Je ne sais si, dans la foule des morts, on distingue les morts vainqueurs par une cocarde. Les vivants, vainqueurs ou non, ont la vraie
cocarde. Ce sont leurs yeux. Nous, nous avons deux yeux, mes pauvres
amis. Nous voyons le soleil. Nous faisons tout ce qui se fait dans le
soleil.... Puisque enfin c'est un général sincère qui vous parle, apprenez
10 que je n'ai pas une tendresse égale, un respect égal pour vous tous. Tout
morts que vous êtes, il y a chez vous la même proportion de braves et de
lâches que chez nous qui avons survécu, et vous ne me ferez pas confondre,
à la faveur d'une cérémonie, les morts que j'admire avec les morts que je
n'admire pas. Mais, ce que je tiens à vous dire aujourd'hui, c'est que la
15 guerre me paraît la recette la plus sordide et la plus hypocrite pour égaliser les humains et que je n'admets pas plus la mort comme purification
ou expiation au lâche que comme récompense au héros; et qui que vous
soyez, vous absents, vous inexistants, vous oubliés, vous sans occupation,
sans repos, sans être, je comprends qu'il faille en fermant ces portes
20 excuser près de vous ces déserteurs que sont les survivants et ressentir
comme un double vol et une double flétrissure ces deux biens qui s'appellent, de deux noms dont j'espère que l'éclat et la résonance ne vous
atteignent plus, la chaleur et le ciel.

JEAN GIRAUDOUX, *La Guerre de Troie n'aura pas lieu*, II, 5.
(Grasset, éditeur.)

Situation du passage. — Au retour d'une expédition victorieuse, le général
troyen Hector a trouvé ses concitoyens en émoi : Pâris, son frère, ayant enlevé Hélène,
épouse du roi de Sparte Ménélas, une nouvelle menace de conflit pèse sur la ville. Hector
est las de la guerre et résolu à défendre la paix par tous les moyens. Invité à célébrer
les morts de la campagne qui vient de s'achever, il va prononcer, devant le temple de la
guerre, un discours exempt de tout conformisme.

Le texte. — D'emblée, Hector suggère, avec une nuance d'humour grave, l'absurdité des discours funèbres où l'on interpelle des êtres privés de leurs sens : *O vous qui ne
nous entendez pas, qui ne nous voyez pas, écoutez ces paroles, voyez ce cortège.* Cependant,
Hector, général en chef, a dû, sur les instances de son entourage, satisfaire à cette obligation rituelle; il s'adresse donc, lui aussi, aux morts comme s'ils pouvaient l'entendre;
du moins ses paroles sont-elles franches, directes et pleines de sens : *Nous sommes les
vainqueurs. Cela vous est bien égal, n'est-ce pas? Vous aussi, vous l'êtes. Mais nous, nous
sommes les vainqueurs vivants.* La rapidité nerveuse de ces phrases, la répétition des
nous et des *vous*, l'allitération finale des *v*, leur donnent une allure triomphale; mais
nous ne devons pas nous méprendre sur leur portée. D'ailleurs, le ton va brusquement

changer . *C'est ici que commence la différence. C'est ici que j'ai honte.* Sous la brutalité apparente de ses propos, Hector cachait donc un sentiment de honte, dont il va nous révéler la cause. D'ordinaire, l'orateur chargé de célébrer les guerriers morts au cours d'une lutte victorieuse insiste, pour flatter le patriotisme et l'orgueil de son auditoire, sur la différence entre les vainqueurs et les vaincus; Hector, lui, souligne une autre différence, plus pathétique, celle qui distingue les vivants et les morts. Peu importe que, *dans la foule des morts, on distingue les morts vainqueurs par une cocarde* : ce dernier mot, savoureusement anachronique dans la bouche d'un ancien, se détache grâce à sa sonorité claironnante et fait allusion à la vanité des soldats qui portent des insignes et des décorations (*cocarde* dérive du mot d'ancien français « coquard », qui signifie coq et, de là, homme vaniteux). En réalité, la seule, la vraie victoire serait pour le guerrier d'échapper à la mort; et cette idée, Hector la traduit avec hardiesse sous une forme concrète: *Les vivants, vainqueurs ou non, ont la vraie cocarde. Ce sont leurs yeux.* Le général troyen condamne ainsi l'attitude des apologistes de la guerre, qui prétendent enseigner le mépris de la vie; en quelques phrases dont la brièveté sèche masque une émotion grandissante, il rappelle, au contraire, le prix de l'existence : *Nous, nous avons deux yeux, mes pauvres amis. Nous voyons le soleil. Nous faisons tout ce qui se fait dans le soleil.* On comprend maintenant pourquoi Hector a honte en présence des morts : il est resté, par chance, du côté de ces vivants qui conservent le privilège de goûter les beautés et les joies prodiguées par la nature.

Dans sa passion de vérité (*puisque enfin c'est un général sincère qui vous parle*), Hector s'attaque ensuite au préjugé d'après lequel « l'homme en temps de guerre s'appelle le héros ». D'ordinaire, le général qui prononce le discours funèbre témoigne à tous les disparus *une tendresse égale, un respect égal.* Usage menteur, qu'il est temps de dénoncer : *Tout morts que vous êtes, il y a chez vous la même proportion de braves et de lâches que chez nous qui avons survécu.* La fin de la phrase, plus oratoire, prolonge la même idée en la martelant grâce aux oppositions de termes : *et vous ne me ferez pas confondre, à la faveur d'une cérémonie, les morts que j'admire avec les morts que je n'admire pas.* Le tour *à la faveur d'une cérémonie* laisse percer le dédain ironique de l'orateur pour les formalités qui sentent l'apprêt.

Hector achève son réquisitoire par un grief essentiel : *la guerre me paraît la recette la plus sordide et la plus hypocrite pour égaliser les humains.* En effet, la guerre flatte chez les hommes, surtout chez ceux que la fortune a durement traités, le besoin d'égalité qui est au fond de leur nature; mais la *recette* (le mot, volontairement prosaïque, évoque les procédés qu'on utilise en économie domestique) est *sordide*, car elle consiste en fait à priver tous les combattants des vraies joies; et elle est *hypocrite*, car c'est au nom d'idées fausses qu'elle établit cette dérisoire égalité. De même, c'est au nom de raisons mensongères qu'elle prétend légitimer la mort : celle-ci n'est ni une *purification ou expiation pour le lâche, ni une récompense pour le héros,* car le lâche et le héros tués sont plongés tous deux dans un même néant. La guerre n'est donc qu'une escroquerie dont les morts, braves ou peureux, sont uniformément les victimes. Aussi, dans une apostrophe finale, Hector s'adresse-t-il à eux tous sans distinction (*qui que vous soyez*), en détaillant avec une impitoyable précision, scandée par la répétition des *vous*, toutes les privations qu'implique l'idée abstraite de la mort : *vous absents, vous inexistants, vous oubliés, vous sans occupation, sans repos, sans être* (ce dernier mot est particulièrement frappant dans sa nudité). Soucieux de justice, il *comprend* que son devoir, au moment où, selon l'usage antique au retour de la paix, on va fermer *les portes du temple de la guerre,* n'est pas d'exalter conventionnellement la vaillance des disparus dans une péroraison emphatique et creuse, mais d'excuser auprès d'eux *ces déserteurs que sont les survivants* : ils ont failli à l'honneur (*flétrissure*) et commis un véritable *vol* en accaparant à leur profit les *deux biens* qui définissent la vie par opposition avec le froid et les ténèbres de la mort : *la chaleur et le ciel.* Ces deux mots, pleins d'*éclat* et de *résonance,* jaillissent à la fin d'une période savamment conduite et font penser au leit-motiv des héros tragiques grecs qui, sur le point de mourir, expriment leur attachement à l'existence qu'ils vont quitter en adressant un touchant adieu à la clarté du jour et à la chaude lumière du soleil.

Conclusion. — **Ce discours aux morts est rempli d'une noblesse généreuse et hardie.** Giraudoux ne se paie pas de mots ni de poétiques raisons ; il déteste la guerre et déploie toutes les ressources de son esprit pour anéantir en quelques phrases, par la bouche de son personnage, les faux prestiges dont la folie des hommes l'a stupidement parée. Le recours à la fiction antique lui permet d'énoncer des vérités qui, dans un cadre moderne, risqueraient de passer pour subversives.

Le style du discours est adapté à la gravité du sujet. Les phrases, d'abord brèves et sèches, prennent progressivement plus d'ampleur, en même temps qu'elles rendent un son plus plein. Giraudoux ne cultive pas ici la préciosité ni les ornements du langage ; il recherche un pathétique direct et atteint ainsi à une qualité d'émotion supérieure.

◇ SUJETS DE COMPOSITION FRANÇAISE ◇

1. — Edmond Sée écrit dans une étude sur le théâtre français contemporain : « C'est toujours au nom de la vérité que les révolutions dramatiques s'accomplissent depuis des siècles ; et tous les vingt-cinq ans environ, des hommes nouveaux prétendent chasser la convention du théâtre. Or, quoi qu'on tente, l'art de la scène ne saurait se passer de conventions. » Commentez, et donnez votre opinion personnelle en prenant vos exemples dans la production dramatique du xxᵉ siècle.

2. — Un personnage de *L'Impromptu de Paris* déclare que « le théâtre, c'est d'être réel dans l'irréel ». Ne pourrait-on pas appliquer cette formule à l'œuvre dramatique de Giraudoux ?

3. — Le thème de la pureté dans le théâtre de Giraudoux et dans celui d'Anouilh.

Photo Lipnitzki.

GEORGES ET LUDMILLA PITOËFF
DANS « LA SAUVAGE » DE JEAN ANOUILH.

LA CRITIQUE LITTÉRAIRE
ET L'ESSAI

ANDRÉ MAUROIS.

LE nombre sans cesse croissant des publications littéraires entraîne, de 1918 à 1940, un développement considérable des études critiques : de plus en plus, les lecteurs désirent être éclairés sur le sens et sur la valeur des ouvrages de l'esprit. Journaux et revues diffusent les articles des courriéristes littéraires; en particulier, la « Nouvelle Revue française », centre de ralliement de la génération de 1920, suscite un nouvel essor de la critique, dont les représentants les plus brillants sont Albert Thibaudet et Charles Du Bos.

D'une façon plus générale se répand la mode de l'essai, genre très souple et très libre, qui se donne les objets les plus divers. Ainsi, André Suarès, Julien Benda, Gabriel Marcel, Alain, abordent, sous forme de méditations, de pamphlets, de « journal » ou de « propos », les problèmes de leur temps. André Maurois, essayiste en même temps que romancier, anime, dans ses « biographies », de grandes figures du passé.

DATES ESSENTIELLES

1909. — Naissance de la *Nouvelle Revue française*.
1920. — Alain : *Propos*.
1922-1937. — Charles Du Bos : *Approximations*.
1923. — André Maurois : *Ariel ou la Vie de Shelley*.
1927. — Julien Benda : *La Trahison des Clercs*.
1928. — Gabriel Marcel : *Journal métaphysique*.
1936. — Albert Thibaudet : *Histoire de la littérature française de 1789 à nos jours.*

I. — LA CRITIQUE

LA NOUVELLE
REVUE FRANÇAISE

La *Nouvelle Revue française* eut pour promoteurs André Gide, Jean Schlumberger, Jacques Copeau; le premier numéro date de février 1909. Après la première guerre mondiale, elle fut dirigée par Jacques Rivière, puis, à partir de 1925, par Jean Paulhan. Presque tous les écrivains du siècle y collaborèrent et une puissante maison d'édition s'établit à son enseigne. Engagée en 1940, sous la direction de Drieu la Rochelle, dans la voie de la collaboration avec l'occupant, elle fut interdite après la libération, mais reparaît aujourd'hui sous le titre de *Nouvelle Nouvelle Revue française*.

La « N. R. F. » fut une entreprise hardie et féconde. Ses animateurs ont voulu, en leur temps, réagir contre le conformisme des écrivains mondains et mettre en valeur les talents authentiques; ils ont mené campagne en faveur d'une littérature nourrie de réflexion sincère et orientée vers une connaissance approfondie de l'homme. En outre, ils ont initié le public à l'étude d'écrivains étrangers : les russes Dostoïevski et Tchekhov; les allemands Thomas Mann et Rainer Maria Rilke; l'anglais Galsworthy; l'italien Pirandello.

ALBERT THIBAUDET
(1874-1936)

Albert Thibaudet, un bourguignon solide et alerte, a tenu pendant une vingtaine d'années la rubrique de la critique littéraire à la *Nouvelle Revue française*. « Omniscient », suivant le mot de Paul Valéry, il a composé des ouvrages sur Thucydide, sur le bergsonisme, sur les partis politiques en France; de précieuses études sur Barrès, sur Flaubert, sur Mallarmé, sur Stendhal. Passionné par les idées, toujours soucieux d'expliquer et de classer, il entreprit une *Histoire de la littérature française* qui, à sa mort, était achevée pour la période de 1789 à nos jours : il essayait d'y grouper les écrivains par volées successives, en distinguant les générations de 1789, de 1820, de 1850, de 1885, de 1914.

Pour Albert Thibaudet, la critique est avant tout un art de goûter les belles œuvres; le bon critique est l'homme qui, en écrivant, accroît son plaisir de sentir, de comprendre, et communique ce plaisir à ses lecteurs. Le style de Thibaudet, dense, pittoresque, est plein de formules et de trouvailles.

CHARLES DU BOS
(1882-1939)

Charles Du Bos, né de mère anglaise, a étudié à Oxford, puis voyagé à travers l'Europe; il n'est venu à la critique littéraire que vers l'âge de quarante ans. Ses enquêtes ne concernent pas seulement les écrivains français (Benjamin Constant, Mérimée, Stendhal, Proust, Gide, Claudel, Valéry), mais aussi les écrivains étrangers (Shakespeare, Gœthe, Byron, Shelley). Un grand nombre de ses études sont réunies dans les sept volumes d'*Approximations* (1922-1937). Ce titre collectif définit sa méthode. Du Bos s'exerce à « approcher » chaque individu et à découvrir, dans chaque œuvre, le mystère d'une âme : ses analyses patientes révèlent sa volonté de saisir l'inspiration à sa source et d'atteindre ainsi à l'essentiel.

II. — L'ESSAI

ANDRÉ SUARÈS
(1868-1948)

André Suarès a élaboré dans une solitude hautaine une œuvre pleine de diversité, qui comprend des poèmes, des pièces de théâtre (*Cressida*, 1914), des méditations morales (*Sur la Vie*, 1909-1913), des journaux de voyage (*Le Voyage du Condottière*, 1910-1932), des portraits de grands hommes (*Tolstoï vivant*, 1911; *Pascal, Ibsen, Dostoïevski*, 1912; *Debussy*, 1922), des réflexions sur le monde contemporain (*Vues sur l'Europe*, 1939). Hanté par un rêve de grandeur, cet idéaliste a sévèrement jugé son siècle, sans désespérer pourtant de l'homme : les exemples de sainteté, d'héroïsme, de génie, nourrissent son enthousiasme. Comme Romain Rolland, son ami, il vit ardemment par le cœur et s'enivre des beautés de l'art ou de la nature; mais il est plus brutal et moins fraternel. Son style, toujours tendu, s'illumine parfois de fulgurantes images.

JULIEN BENDA
(1867-1956)

A l'opposé d'André Suarès, Julien Benda est un intellectualiste strict, qui se défie de la sensibilité et de la passion. Dans son ouvrage le plus célèbre, *La Trahison des Clercs* (1927), il dénonce les hommes de pensée qui croient devoir se mêler aux agitations de leur siècle. Pamphlétaire virulent, il crible de ses invectives les auteurs qui, au nom de l'intuition, de l'instinct ou du rêve, s'écartent de la raison et de la logique. Il accuse Bergson d'avoir voulu remettre en question les droits imprescriptibles de l'intelligence (*Le Bergsonisme ou une Philosophie de la Mobilité*, 1912) et reproche aux écrivains du XXe siècle une recherche malsaine de l'émotion (*Belphégor*, 1912) ou une curiosité pour l'irrationnel qu'il considère comme un signe de décadence (*La France byzantine*, 1945).

GABRIEL MARCEL
(né en 1888)

Gabriel Marcel a tenu depuis 1914 et publié en 1928 un *Journal métaphysique* où sont consignées ses réflexions quotidiennes sur les grands problèmes. Sa doctrine philosophique est exposée notamment dans *Être et Avoir* (1937).

Avant Sartre, Gabriel Marcel a introduit en France la pensée existentialiste. Il part de la réalité concrète et attache une grande importance au corps, intermédiaire entre l'âme et le monde des objets : « Lorsque j'affirme qu'une chose existe, c'est toujours que je considère cette chose comme raccordée à mon corps. » Mais l'homme n'existe qu'en se dépassant par un effort continu; dans cet effort, il reconnaît l'action d'un principe divin, auquel il participe. Gabriel Marcel échappe ainsi au désespoir des existentialistes athées : « L'âme n'est que par l'espérance; l'espérance est peut-être l'étoffe même dont notre âme est faite. » Ce philosophe est, en outre, un vigoureux dramaturge, dont les pièces (*Le Dard*, 1938) illustrent les idées morales et religieuses.

ALAIN
(1868-1951)
Le philosophe Emile Chartier, dit Alain, exerça sur ses élèves au lycée de Rouen, puis au lycée Henri-IV, une influence profonde. Son œuvre écrite, abondante et variée, élargit l'action de son enseignement : elle révèle un moraliste agnostique (*Propos d'Alain*, 1920; *Propos sur le Bonheur*, 1928), dressé contre la tyrannie de l'État (*Le Citoyen contre les Pouvoirs*, 1926) et contre l'absurdité de la guerre (*Mars ou la Guerre jugée*, 1921); un esthéticien (*Système des Beaux-Arts*, 1920); un critique littéraire (*Stendhal*, 1935; *Avec Balzac*, 1937).

Alain s'est exprimé avec prédilection sous forme de brefs « propos », qui abondent en formules pleines et savoureuses. Ces propos font de lui, selon son disciple André Maurois, « notre Montaigne et notre Socrate ». Il place ses lecteurs ou ses auditeurs devant les problèmes de la vie quotidienne et fonde sa philosophie sur une exacte évaluation des limites de notre entendement. Humaniste, il ne croit qu'en l'homme. « Aller à la vérité de toute son âme », « se gouverner soi-même », se persuader que chacun est l'artisan de son destin, tels sont les grands principes de sa sagesse.

ANDRÉ MAUROIS
(né en 1885)
André Maurois (Emile Herzog) est né, comme Alain son maître, en Normandie; il appartient à une famille d'industriels qui ont quitté l'Alsace après la guerre de 1870. Longtemps chef d'industrie lui-même, il a considéré la littérature comme le plus agréable des passe-temps. Son souple talent s'est exercé dans les genres les plus divers : conteur, il évoque avec un délicieux humour ses souvenirs de la première guerre mondiale, alors qu'il était attaché à l'État-major anglais (*Les Silences du Colonel Bramble*, 1918; *Les Discours du Docteur O'Grady*, 1921) ou imagine de légères affabulations fantastiques (*Le Peseur d'Ames*, 1931; *La Machine à lire les pensées*, 1937); romancier, il analyse dans des œuvres subtiles les secrets du cœur humain (*Climats*, 1929; *Le Cercle de Famille*, 1932); moraliste, il s'intéresse aux problèmes que pose l'exercice de l'autorité (*Dialogue sur le Commandement*, 1924); historien, il écrit une *Histoire de l'Angleterre* (1937) et une *Histoire des États-Unis* (1947), où se manifeste sa sympathie pour la civilisation anglo-saxonne.

Ces dons variés ont peut-être trouvé leur meilleur emploi dans des « biographies » d'hommes illustres. Ariel ou la Vie de Shelley (1923), Byron, Dickens, Disraëli, Lyautey, sont des œuvres harmonieusement construites, qui font revivre les scènes les plus marquantes de chaque existence; l'art y est exquis et le style limpide. Quelques-unes de ces biographies concernent des écrivains français, Voltaire, Chateaubriand, Proust, George Sand; les deux plus récentes (*A la Recherche de Marcel Proust*, 1949; *Lélia ou la Vie de George Sand*, 1952) sont les plus remarquables par le scrupule de l'enquête et la nouveauté de la documentation.

TROISIÈME PARTIE

LE TEMPS PRÉSENT

CHAPITRE UNIQUE

TABLEAU DES GENRES LITTÉRAIRES

Photo Isis.

ALBERT CAMUS.

LA littérature du temps présent, fortement marquée par plusieurs années de guerre et d'horreur, semble refléter la confusion d'un monde bouleversé; la plupart des écrivains, cependant, tentent avec obstination de construire une éthique nouvelle.

Le genre romanesque, plus malléable que tout autre genre, offre la gamme de ses ressources, depuis la simple nouvelle jusqu'aux vastes « sommes » en plusieurs volumes; il se prête aux méditations de Julien Gracq et aux mythes philosophiques d'Albert Camus. Les poètes s'engagent, eux aussi, dans des directions divergentes : Henri Michaux exorcise ses tourments grâce à une imagination qui renouvelle le langage humain; Jacques Prévert recrée la réalité familière par ses associations insolites; René Char exprime avec densité des sentiments éternels. Au théâtre, quelques romanciers nouveaux venus à la scène, Mauriac, Montherlant, Sartre, Camus, s'efforcent d'instaurer, chacun selon son tempérament, un type de tragédie nouvelle. L'essai, enfin, s'oriente, soit vers la réflexion métaphysique ou morale, soit, avec Malraux, vers la réflexion esthétique.

DATES ESSENTIELLES

1937.	— François Mauriac : *Asmodée.*
1940-1942.	— Aragon : *Les Yeux d'Elsa.*
1942.	— Albert Camus : *L'Étranger.*
1944.	— Jean-Paul Sartre : *Huis-Clos.*
1946.	— Jacques Prévert : *Paroles.*
1948.	— Henry de Montherlant : *Le Maître de Santiago.*
1948-1950.	— André Malraux : *Psychologie de l'Art.*
1951.	— Julien Gracq : *Le Rivage des Syrtes.*

I. — LE ROMAN

ROMANCIERS CONTEMPORAINS

L'extraordinaire vogue du roman dans la littérature française moderne ne s'est pas démentie depuis 1940 : le genre, indéfiniment assoupli, favorise des tentatives d'une extrême variété. La Résistance a révélé Jean Bruller, dit Vercors : *La Marche à l'Étoile* (1943), *Le Silence de la Mer* (1944), sont de brefs récits d'une forme pure, où la conscience nationale s'exprime avec une dignité pathétique. La faveur du grand public est volontiers revenue ensuite à des œuvres de longue haleine en plusieurs volumes comme celles d'Henri Troyat (*Tant que la Terre durera*); de Charles Plisnier (*Meurtres; Mères*); de Maurice Druon (*Les Grandes Familles*); de Paul Vialar (*La Mort est un Commencement*); au roman à thèse de Maxence Van der Meersch *Corps et Ames*; ou encore à de provocantes autobiographies. Deux écrivains se sont imposés par la qualité de leur langue : l'un, Julien Gracq, d'une inspiration inactuelle et apparemment gratuite; l'autre au contraire, Albert Camus, extrêmement attentif aux problèmes de son temps.

JULIEN GRACQ (né en 1909)

Julien Gracq, originaire du Maine-et-Loire, est professeur dans un lycée parisien. Ses deux premiers récits en prose, *Au Château d'Argol* (1938) et *Un Beau Ténébreux* (1945), lui ont valu les suffrages d'un public de connaisseurs. *Le Rivage des Syrtes* (1951), couronné par le prix Goncourt contre la volonté de l'auteur, a suscité un mouvement de curiosité beaucoup plus étendu.

¶ *Un Beau Ténébreux.*

Sur une plage bretonne, l'arrivée d'Allan Murchison trouble les loisirs sans histoire d'une bande de jeunes gens. C'est un homme de plaisir, qui « véhicule une idée *violente* de la vie » et qui exerce autour de lui un prestige envoûtant. Une jeune fille, Christel, est immédiatement conquise. Mais il semble las de l'existence et comme effrayé de son terrible pouvoir. En vain, Christel voudrait le réconcilier avec lui-même : il s'empoisonne sous son regard fasciné.

¶ *Le Rivage des Syrtes.*

Le jeune Aldo a été détaché par la Seigneurie d'Orsenna pour surveiller la flottille du capitaine Marino, stationnée sur la mer des Syrtes, face au Farghestan. Entre les deux pays subsiste depuis longtemps un état de guerre; mais, de part et d'autre, on s'est lassé du combat et Marino, vieil homme désabusé, a pris son parti de cette inertie. Cependant l'ennui, le besoin d'aventure, poussent Aldo à reconnaître la côte ennemie; et son initiative entraîne le réveil des hostilités.

Julien Gracq est un héritier du surréalisme. Comme André Breton, auquel il a consacré un essai critique, il décèle, au cœur de toute réalité, des profondeurs de mystère, qu'il exprime en images souvent insolites. Il ne croit pourtant guère aux vertus de l'écriture automatique et ordonne son langage avec une stricte vigilance. *Il est préoccupé, en outre, par d'autres problèmes que ceux de la génération surréaliste. Toutes ses œuvres impliquent une méditation sur le destin.* L'inquiétant Herminien apporte au château d'Argol une fatalité de malheur; Allan, « être marqué », succombe à sa vocation maudite; Aldo cède à la tentation d'un démon intérieur; des orages lentement amoncelés dans les âmes éclatent avec une soudaineté solennelle qui fait songer aux catastrophes de la tragédie classique.

ALBERT CAMUS
1913-1960

Albert Camus est né à Alger. L'Afrique du Nord, où il a longtemps séjourné, lui fournit le cadre de *L'Étranger* (1942) et de *La Peste* (1947). Ces deux récits illustrent, comme son théâtre et ses essais, une attitude philosophique assez proche de l'attitude existentialiste. L'ensemble de son œuvre a été couronné, en 1957, par l'attribution du prix Nobel.

¶ L'Étranger.

Le narrateur, Meursault, est un personnage singulier, qui semble dépourvu de toute sensibilité, de toute curiosité, de tout élan; il vit dans l'immédiat et n'obéit qu'aux exigences élémentaires de ses instincts ou de ses sens; pour le reste, il se détermine comme au hasard, car il a conclu, une fois pour toutes, à l'absurdité de l'existence et pense que toutes les conduites se valent.

Meursault expose comment il est devenu en quelques secondes, sous le soleil brûlant d'une plage algérienne, le meurtrier d'un arabe. Il raconte ensuite son procès : plusieurs témoignages l'accablent, car l'apparente insouciance dont il a donné le spectacle après la mort de sa mère est interprétée comme un signe de monstruosité morale; ses réponses déconcertantes achèvent d'indisposer ses juges, qui le condamnent à mort.

¶ La Peste.

Apportée par des rats, la peste, en 194., a envahi la ville d'Oran. Les médecins sont impuissants à combattre l'épidémie, qui s'étend avec rapidité et qui fait des victimes de plus en plus nombreuses. L'autorité municipale déclare « l'état de peste » : dès lors, la ville est coupée de toute communication avec le reste du monde et ressemble à une ville assiégée.

La vie, pourtant, s'organise tant bien que mal. Parmi les habitants décimés, les uns demeurent engourdis par la peur; d'autres cherchent une diversion dans des jeux stériles; d'autres encore profitent de la misère générale pour s'enrichir. Les plus courageux regardent le fléau en face et, dans la mesure de leurs faibles forces, tâchent d'y porter remède. L'étreinte se relâche enfin et la ville s'abandonne à la joie de sa délivrance.

La pensée de Camus. — *Albert Camus décrit, en recourant à des symboles très clairs, les menaces de toute sorte qui pèsent sur l'homme moderne et les catastrophes qui, d'un moment à l'autre, peuvent ruiner son fragile bonheur.* Le paisible héros de *L'Étranger* est pris tout à coup dans un engrenage qui semble calculé pour le broyer; les habitants d'Oran assistent avec stupeur au réveil du fléau qui va s'acharner sur leur ville. *Le problème est de faire front contre le malheur et, si possible, d'en conjurer ou d'en limiter les effets.* Meursault observe avec détachement, comme un spectacle, l'absurde et fatale conjoncture où il se trouve impliqué : il sauve ainsi du moins sa liberté d'esprit. Mais le docteur Bernard Rieux, dans *La Peste*, ne se résigne pas; il lutte de toutes ses forces contre le mal et témoigne pour « tous les hommes qui, ne pouvant être des saints et refusant d'admettre les fléaux, s'efforcent cependant d'être des médecins ». Telle est l'attitude de Camus lui-même : éloigné d'un optimisme béat, il sait que « le bacille de la peste ne meurt ni ne disparaît jamais » et qu'on doit toujours s'attendre à le voir surgir sous une forme ou sous une autre, comme il a surgi naguère sous celle de l'occupation allemande; mais toute épreuve suscite des vocations héroïques et enseigne « qu'il y a dans les hommes plus de choses à admirer que de choses à mépriser ».

L'art de Camus. — *Albert Camus est un écrivain sobre et puissant.* Ses récits se déroulent avec une pureté linéaire qui assure la continuité de l'intérêt. *L'Étranger*, notamment, avec ses deux parties qui se répondent, apparaît dans sa brièveté terrible comme un modèle de composition classique.

II. — LA POÉSIE

POÈTES D'AUJOURD'HUI   L'activité poétique s'est orientée, depuis 1940, dans les directions les plus diverses. Pendant la guerre est née une poésie de la Résistance, qui, par sa simplicité directe, a su toucher un public populaire : *Les Yeux d'Elsa, Le Musée Grévin, La Diane française,* d'Aragon ; *Poésie et Vérité,* d'Eluard, demeurent d'émouvants témoignages d'une période où la plupart des poètes ont mis leur point d'honneur à « s'engager » dans leurs œuvres.

Après la libération, le mystère reprit ses droits ; la poésie redevint une aventure, une exploration de l'univers intérieur ; les formes traditionnelles, un moment remises à la mode, furent de nouveau communément abandonnées. Parmi les poètes contemporains, les uns sont des révoltés, comme Aimé Césaire ou Henri Pichette, et donnent libre cours à une violence éruptive ; d'autres, comme Pierre Emmanuel, Patrice de la Tour du Pin ou Luc Estang, enferment dans leurs œuvres un message spiritualiste ; d'autres, comme Guillevic ou Francis Ponge, évoquent le monde des objets et cultivent un réalisme dépouillé. Un succès particulièrement vif a consacré le renom d'Henri Michaux, de Jacques Prévert, de René Char.

HENRI MICHAUX
(né en 1899)   Henri Michaux, un Belge natif de Paris, fut, dans sa jeunesse, un grand voyageur ; il séjourna en Équateur, aux Indes, en Chine ; et le souvenir des contrées lointaines stimula souvent son imagination. Ses débuts d'écrivain sont antérieurs à la seconde guerre mondiale (*Qui je fus,* 1927 ; *Mes Propriétés,* 1929 ; *Un Certain Plume,* 1930). Mais son importance véritable n'a été généralement reconnue qu'après 1940 (*L'Espace du Dedans,* 1944 ; *Ailleurs,* 1948).

Henri Michaux est obsédé par la pensée des « puissances hostiles » qui environnent l'homme moderne. Cette menace est symbolisée par les extravagantes aventures de son héros Plume, dont le nom seul suggère l'inconsistance et la fragilité : agité comme plume au vent, dans les plus humbles circonstances de la vie quotidienne, par le caprice d'une force maligne, il subit ses épreuves avec une passivité stoïque. *Pour son compte, cependant, le poète ne se résigne pas ; il cherche dans son art un refuge, une revanche ou une vengeance contre les cruautés de la vie.* Tantôt il s'évade vers des pays imaginaires, « Grande Garabagne » ou « Poddema » ; tantôt il s'enferme en lui-même et découvre « l'espace du dedans ». Sa protestation s'exprime quelquefois en accents pathétiques (« Emportez-moi, ou plutôt enfouissez-moi »), mais se dérobe souvent aussi sous les apparences d'une objectivité glacée ou d'un sombre humour (« Je vois là-bas un être sans tête qui grimpe à une perche sans fin »). Si Henri Michaux n'accepte pas le monde tel qu'il est, il refuse aussi d'utiliser le langage habituel, inventé « par d'autres dans un autre âge » et destiné à la masse. Il a donc créé à son usage un style poétique nouveau : style agressif et musclé, qui bouscule les conventions pour exprimer, dans leur singularité, les mouvements les plus fugaces de sa vie intérieure ; en jaillissant du plus profond de son être, les mots prennent une valeur d' « exorcisme » et conjurent le mauvais destin.

JACQUES PRÉVERT
(né en 1900)

Jacques Prévert, né à Neuilly, vit à Saint-Paul de Vence, dans les Alpes-Maritimes. Il a fortement subi, vers sa vingt-cinquième année, l'empreinte du surréalisme. Il se révéla en 1931 par une fantaisie humoristique et satirique, *Tentative de Description d'un Dîner de Têtes à Paris-France*; puis il s'imposa au cinéma comme un scénariste de très grand talent. Il continuait cependant à écrire des poèmes, qu'il dispersait dans des revues ou qu'il abandonnait à des amis sans paraître y attacher d'importance. Ces poèmes furent recueillis en 1946 sous le titre *Paroles*; ils connurent un vif succès et, mis presque tous en musique par Joseph Kosma, atteignirent un public populaire. Deux autres recueils devaient suivre, *Histoires* (1946, en collaboration avec André Verdet) et *Spectacle* (1951).

La poésie de Jacques Prévert, limpide et spontanée, emprunte la plupart de ses thèmes à la réalité quotidienne. Les objets familiers, les scènes de rue, les faits divers, y jouent souvent un rôle, plaisant ou pathétique; tel poème consiste même tout entier en un « inventaire » hétéroclite. Mais l'esprit du poète est trop actif et trop agile pour se contenter de décrire : un mot en appelle un autre, un objet fait penser à un autre objet; coq-à-l'âne et calembours se succèdent, comme entraînés par un mécanisme irrésistible; et parfois le hasard d'une association capricieuse, en libérant des images neuves, ouvre des perspectives insoupçonnées. Cette verve n'est d'ailleurs pas toujours gratuite : elle s'exerce, non sans violence, contre les hommes qui, par intérêt ou par fonction, entravent le libre essor de leurs semblables vers un bonheur immédiat, potentats de l'industrie ou de la finance, magistrats, hommes d'Église, hommes d'État, généraux, professeurs.... Prévert exalte au contraire les grandes joies simples que procurent, malgré les pièges d'un destin parfois cruel, le rêve et la flânerie, l'amitié et l'amour.

RENÉ CHAR
(né en 1909)

René Char est né dans le Vaucluse, à l'Isle-sur-Sorgue, où il demeure fixé. Il appartint d'abord au groupe surréaliste et collabora avec André Breton; les poèmes de sa première manière sont réunis dans *Le Marteau sans Maître* (1934). Il obéit ensuite à une inspiration plus largement humaine et prit position, sans s'inscrire à aucun parti, sur les problèmes sociaux : c'est ainsi qu'il dédicaça aux enfants victimes de la guerre civile espagnole son *Placard pour un Chemin des Écoliers* (1937). Sous l'occupation allemande, il commanda un maquis provençal et transcrivit dans *Feuillets d'Hypnos* (1946) ses expériences de combattant. *Le Poème pulvérisé* (1947), *Fureur et Mystère* (1948), consacrèrent sa notoriété.

La poésie de René Char, nourrie d'images elliptiques, est d'un accès difficile en raison de sa densité; elle exprime pourtant des émotions d'une valeur universelle. Le poète vit en communion avec sa terre natale et avec les forces élémentaires de la nature. Il aime aussi les hommes, dont il connaît les servitudes et les angoisses; il rêve pour eux d'un avenir de justice et de liberté; il leur enseigne le courage et les gagne à sa ferveur : « Salut à celui qui marche en sûreté à mes côtés, au terme du poème. Il passera demain *debout* sous le vent. »

III. — LE THÉÂTRE

L'ACTIVITÉ DRAMATIQUE CONTEMPORAINE   Malgré le vide laissé par la disparition de Giraudoux, le mouvement dramatique a connu une grande animation de 1940 à nos jours. La plupart des dramaturges consacrés avant la deuxième guerre mondiale ont poursuivi honorablement leur carrière. Armand Salacrou, toujours en quête de formules nouvelles, a surtout réussi dans la satire féroce de la bourgeoisie (*L'Archipel Lenoir*, 1948). Jean Anouilh, malgré une tendance à creuser les mêmes problèmes, s'est élevé au premier rang des dramaturges de la génération actuelle : *Eurydice* (1942), *Antigone* (1943), puis *L'Invitation au Château* (1947) et *La Répétition ou l'Amour puni* (1950) ont confirmé son talent, également à l'aise dans l'intensité dramatique et dans la fantaisie.

De nouveaux auteurs se sont imposés à l'attention : André Roussin, dont l'invention comique un peu vulgaire triomphe sur le boulevard (*La Petite Hutte*); Félicien Marceau, observateur lucide, d'une légèreté cruelle (*L'Œuf, La Bonne Soupe*); Audiberti, lyrique et fantasque (*Le Mal court*); Ionesco, bouffon et raffiné (*La Leçon, Le Rhinocéros*); Maurice Clavel, qui a tenté de rénover la tragédie racinienne (*Les Incendiaires*) et le drame shakespearien (*Terrasse de Midi*). Toutefois, les plus brillants de nos dramaturges actuels, François Mauriac, Henry de Montherlant, Jean-Paul Sartre, Albert Camus, ont été, comme Giraudoux, des romanciers avant d'aborder le théâtre. Enfin, de nouveaux animateurs ont surgi.

LES NOUVEAUX ANIMATEURS   La succession de Copeau et du cartel des Quatre a été assurée par des metteurs en scène qui travaillent dans le même sens que leurs aînés : André Barsacq, Jean-Louis Barrault, Jean Vilar.

Jean-Louis Barrault. — Jean-Louis Barrault monta sous l'occupation un certain nombre de spectacles à la Comédie-Française, puis il s'installa en 1946 au théâtre Marigny, où il fonda avec sa femme la Compagnie Madeleine Renaud-Jean-Louis Barrault. Il y mena « une action simultanée sur trois chemins : classiques, auteurs modernes, tentatives »; il a tout particulièrement contribué à consacrer la gloire dramatique de Claudel en représentant *Le Soulier de Satin* (1943); *Partage de Midi* (1948); *Le Livre de Christophe Colomb* (1953).

Jean Vilar. — Jean Vilar cherche à retrouver le contact direct avec la foule en ressuscitant le vaste espace scénique, sans rampe ni rideau, qu'avait connu le théâtre de l'antiquté. Devant les murs du Palais des Papes, à Avignon, ou au Palais de Chaillot, il a mis en scène de grandes fresques théâtrales et poétiques : *Richard II*, de Shakespeare; *Le Prince de Hombourg*, de Von Kleist; *Meurtre dans la Cathédrale*, d'Eliott; *Lorenzaccio*. Il a repris en les renouvelant, des œuvres classiques : *Le Cid*; *Don Juan*. Enfin, il a donné leur chance à de jeunes auteurs comme Maurice Clavel.

MAURIAC François Mauriac s'est laissé tenter tardivement par la scène. Il débuta brillamment à la Comédie-Française, en 1937, avec *Asmodée*, une pièce à la charpente solide dont le héros, d'une duplicité ténébreuse, fit penser à Tartuffe. Sa seconde œuvre, *Les Mal-Aimés* (écrite dès 1939, jouée en 1945), plut aux connaisseurs par le dépouillement extrême de l'action : en trois actes d'une sécheresse janséniste, l'auteur peignait des personnages douloureux qui se torturaient sans répit. *Passage du Malin* et *Le Feu sur la terre ou le Pays sans chemin* n'ont pas connu le même succès.

¶ Asmodée.

Une veuve de trente-huit ans, Marcelle de Barthas, habite un vieux domaine dans la campagne landaise. Elle a confié l'éducation de ses enfants à une institutrice et un précepteur, Blaise Couture. Ce dernier, ancien séminariste écarté du sacerdoce pour mauvais esprit, est possédé par un besoin de domination né de ses rancœurs et de ses désirs refoulés. Après avoir été l'amant de l'institutrice, il convoite en secret Mme de Barthas, sur qui il exerce une tortueuse autorité. En échange de son fils reçu dans une famille anglaise, Mme de Barthas a accueilli pour les vacances le jeune et séduisant Harry Fanning : tel le démon Asmodée, qui soulevait le toit des maisons, Harry, par sa présence, va mettre à nu les passions cachées. Il trouble les sens de la châtelaine; Couture, torturé de jalousie, demande, mais en vain son renvoi, et, de rage, quitte les lieux. Mais il revient bientôt et, découvrant qu'Harry a inspiré un sentiment très fort à la fille de Mme de Barthas, il favorise les projets matrimoniaux des jeunes gens. Mme de Barthas, après avoir tenté de détourner sa fille d'Harry, finit par consentir au mariage : elle restera sous la sujétion de Couture.

¶ Les Mal-Aimés.

M. de Virelade, un ancien officier que sa femme a abandonné, vit dans une propriété des Landes, avec ses deux filles, Elisabeth, l'aînée, qu'il adore tout en exerçant sur elle une autorité despotique, et Marianne, la cadette, qui lui est indifférente parce qu'elle ressemble à sa mère. Elisabeth forme le projet d'épouser Alain, un camarade d'enfance, plus jeune qu'elle. Incapable de renoncement, M. de Virelade veut garder à tout prix sa fille auprès de lui : dans ce dessein, il dénigre Alain aux yeux d'Elisabeth et lui révèle que Marianne, depuis longtemps amoureuse du jeune homme, a des idées de suicide. Bouleversée, Elisabeth se sacrifie. Un an se passe : Marianne a épousé Alain, mais elle sent que son mari lui échappe. Au cours d'une entrevue, Elisabeth et Alain tombent dans les bras l'un de l'autre; leur heure est venue : ils partent ensemble en auto. Mais une horrible douleur saisit brusquement Elisabeth; elle revient bientôt près de son père, tandis que Marianne retourne près d'un époux qui pensera toujours à sa sœur. Tous trois sont destinés à traîner leur boulet et à se tourmenter sans cesse : « Et pourtant nous nous aimons », soupire Elisabeth.

L'œuvre dramatique, chez Mauriac, semble prolonger l'œuvre romanesque : ici comme là, l'auteur installe son décor en pays landais, dans la chaleur de l'été, au milieu des pinèdes ardentes. Dans ce cadre évoluent des personnages démoniaques, des « anges noirs », ravagés par l'ouragan de leurs passions; tout particulièrement, Mauriac se plaît à peindre « des âmes dominatrices qui règnent sur des âmes plus faibles et qui en sont, en même temps, les prisonnières » : ainsi M. de Virelade, tout comme l'héroïne de *Genitrix*, « dévore son enfant », mais ne peut se passer de sa présence.

Pourtant la technique dramatique a imposé à Mauriac certaines contraintes. « Selon le principe racinien, déclare-t-il à propos des *Mal-Aimés*, j'ai voulu que, durant ces trois actes, l'action ne fût soutenue que par la passion de mes personnages ». Comme chez Racine, en effet, un seul incident suffit à faire éclater la crise. Les concessions faites au péché révèlent alors le fond trouble des âmes, mais, en fin de compte, les personnages restent esclaves de leur destin.

MONTHERLANT   Bien qu'il ait écrit, dès l'âge de dix-huit ans, un essai dramatique, *L'Exil*, Henry de Montherlant ne s'est imposé à la scène qu'en 1942, avec *La Reine morte*, drame inspiré d'une légende souvent exploitée par les poètes espagnols. *Le Maître de Santiago*, joué en 1948 au théâtre Hébertot, consacra sa réputation dramatique : cette œuvre représente la « veine chrétienne » de l'auteur. Montherlant fit jouer encore *Malatesta* (1948), qui appartient à sa « veine païenne » et dont le héros est un condottiere italien ; *Fils de Personne* et *Demain il fera jour* (1943-1949), deux pièces complémentaires où s'affrontent un père et un fils ; enfin un drame d'amour, *Celles qu'on prend dans ses bras* (1951). Il n'a pas encore consenti à livrer à la scène une pièce publiée en 1951 : *La Ville dont le Prince est un Enfant*.

¶ *La Reine morte.*

Au Portugal, « autrefois ». Le vieux roi don Ferrante est las de son trône, de son peuple et surtout de son fils, don Pedro, dont il juge sévèrement la médiocrité. Il veut pourtant, avant de mourir, que les affaires de son royaume soient en ordre. Il fait venir d'Espagne la jeune Infante de Navarre, dona Bianca, pour qu'elle épouse son fils : cette union favorisera une alliance entre les couronnes d'Espagne et de Portugal. Mais Pedro dédaigne l'Infante, dont la fierté est offensée. Ferrante connaît bientôt la raison de ce dédain : son fils aime une bâtarde, dona Inès de Castro, qu'il a épousée en secret. Furieux, le roi fait garder son fils à vue dans un château ; puis il négocie pour obtenir du pape qu'il annule le mariage ; mais le pape refuse. Enfin Ferrante apprend de dona Inès qu'elle va avoir un enfant de Pedro : il la fait alors exécuter, pour préserver, dit-il, la pureté de la succession au trône. En fait, il s'avoue à lui-même que ce crime est inutile ; mais il se plaît dans l'atroce et veut prouver à ses conseillers qu'il est encore tout-puissant.

¶ *Le Maître de Santiago.*

Avila, en 1519. Don Alvaro Dabo, grand-maître de l'ordre de Santiago, vit pauvrement dans une gentilhommière avec sa fille Mariana. Après avoir combattu pour la gloire du Christ, il s'est retiré du métier des armes ; dédaigneux des biens terrestres, il n'aspire plus qu'à entretenir en lui une intransigeante spiritualité. Mais les chevaliers de l'ordre, séduits par l'attrait des Indes occidentales, le pressent de partir avec eux pour le Nouveau-Monde, où on lui confiera un poste important : ce départ lui permettrait de doter sa fille, qui s'est éprise de don Jacinto. Il refuse pourtant de s'associer à une entreprise qu'inspire la cupidité. Pour l'ébranler, on lui fait croire que c'est le roi lui-même qui lui demande de partir. Il va peut-être céder ; mais Mariana, faisant passer sa vénération pour son père avant son propre bonheur, lui dévoile « l'affreuse comédie ». Don Alvaro reconnaît son enfant dans celle qui vient de se sacrifier ainsi : il l'enveloppe, comme d'un linceul, du manteau blanc de l'ordre de Santiago et l'entraîne avec lui dans un cloître.

Henry de Montherlant recherche au théâtre la vigueur et le resserrement. Réduits à une action linéaire, ses drames peignent avec prédilection des personnages d'une rare envergure, qu'animent des sentiments nobles ou intenses. Quelques thèmes majeurs les parcourent : thème du mépris pour la médiocrité et la bassesse (« Je vous reproche de ne pas respirer à la hauteur où je respire », déclare don Ferrante à son fils ; de même, don Alvaro s'écrie devant ses pairs, les chevaliers : « Mon pain est le dégoût. Dieu m'a donné à profusion la vertu d'écœurement ») ; thème de l'aspiration à la solitude ou au néant (« Je n'ai soif que d'un immense retirement », dit encore don Alvaro qui, muré dans son orgueil, ne peut plus supporter aucun contact humain et s'abîme en Dieu comme dans le néant). Le dialogue, souvent dépouillé et direct, parfois aussi somptueux et imagé, est plein de formules altières ou cyniques, frappées comme des médailles.

Photo Lipnitski.

LE MAITRE DE SANTIAGO.
(Scène finale.)

Le père et la fille sont agenouillés devant le Christ. Le père enveloppe sa fille du manteau blanc de l'Ordre.

SARTRE   Dans sa première pièce, *Les Mouches* (1943), Jean-Paul Sartre illustrait sa philosophie de la liberté en reprenant, à la manière de Giraudoux, un mythe antique, celui d'Oreste; mais son œuvre, surchargée de développements abstraits, ne pouvait toucher que certains initiés. Soucieux d'obtenir une large audience, Sartre y parvint avec *Huit-Clos* (1944), chef-d'œuvre d'intensité tragique. En 1946, *Morts sans sépulture* évoquait avec une franchise brutale un groupe de maquisards capturés par des miliciens et décrivait le comportement de quelques hommes en présence de la torture et de la mort. Sartre confirma sa maîtrise dramatique avec *Les Mains sales* (1948), une pièce tendue où il s'efforçait de présenter objectivement le conflit du réalisme et de l'idéalisme en politique. *Le Diable et le Bon Dieu* (1951) a pour thème la solitude de l'homme, seul maître de son destin, dans un univers sans Dieu. L'œuvre la plus récente, *Les Séquestrés d'Altona* (1959), évoque le désarroi d'une conscience égarée par l'hitlérisme. *Jean-Paul Sartre a fait preuve, à la scène, de dons exceptionnels* : au sens du pathétique et de la progression dramatique, il unit l'acuité de l'observation. Ses personnages discutent âprement, avec un mépris total de la convention, les problèmes angoissants et souvent inédits qui sont nés au milieu de la confusion du monde actuel.

¶ *Huis-Clos.*

Le décor représente un salon d'hôtel sordidement meublé. Un garçon d'étage introduit successivement un homme et deux femmes. Qui sont-ils? d'où viennent-ils? Estelle parle de pneumonie, Inès de gaz, Garcin de « douze balles dans la peau ». Le salon d'hôtel est un lieu d'expiation, l'enfer; les personnages sont des morts qui attendent leur supplice. Ils évitent d'abord de faire allusion aux crimes qu'ils ont sur la conscience, puis décident de jeter leurs masques : Estelle est une infanticide, Inès une « femme damnée », Garcin un déserteur. Soulagés par cet aveu, ils tentent de se supporter et de s'aider mutuellement : peine inutile! L'enfer, ce ne sont ni les pals, ni les grils; « l'enfer, c'est les autres », c'est le regard d'autrui qui éclaire implacablement notre secret honteux; les pires tortures corporelles seraient moins redoutables que cette atroce souffrance morale. Garcin frappe contre la porte du salon, qui s'ouvre brusquement devant lui : la voie est libre.... Mais il est pris de terreur, comme devant un gouffre. Les trois damnés regagnent leur place, désespérés : ils sont inséparables pour l'éternité.

CAMUS   Albert Camus a débuté à la scène par un drame puissant, *Caligula* (1945) : l'empereur dément de l'histoire y apparaît obsédé d'impossible; « il tente d'exercer, par le meurtre et la perversion systématique de toutes les valeurs, une liberté dont il découvre pour finir qu'elle n'est pas bonne », car « aucun être ne peut se sauver tout seul et on ne peut pas être libre contre les autres hommes ». Représenté la même année, *Le Malentendu* évoquait, dans le cadre d'une petite ville d'Europe Centrale, une série de destins absurdement tragiques. *L'État de Siège* (1948) est une pièce allégorique où le mythe de la Peste, déjà développé à d'autres fins sous une forme romanesque, illustre la tyrannie de la peur. Enfin le drame des *Justes* (1949), inspiré par l'attentat ourdi en 1905 à Moscou contre le grand-duc Serge, analyse les scrupules d'un révolutionnaire qui n'a pu se résoudre à lancer la bombe fatale, parce qu'il y avait dans la voiture princière deux petits enfants. Albert Camus a voulu créer une nouvelle formule de tragédie adaptée aux problèmes de notre temps; ses œuvres sont d'une haute tenue.

IV. — L'ESSAI

Notre temps est, par excellence, celui de la réflexion philosophique. L'angoisse née du spectacle d'un univers bouleversé impose l'obligation de rechercher et de fixer sous une forme cohérente les raisons de vivre que l'homme d'aujourd'hui doit malgré tout conserver présentes à sa conscience.

LA RÉFLEXION MÉTAPHYSIQUE ET MORALE — La plus retentissante manifestation de l'école existentialiste est sans doute la conférence publiée en 1946 par Jean-Paul Sartre sous le titre *L'Existentialisme est un Humanisme* : Sartre rejette les griefs que ses adversaires chrétiens ou marxistes ont formulés contre sa doctrine; il affirme que ses analyses souvent cruelles n'impliquent aucun pessimisme définitif et il esquisse une morale concrète fondée sur la nécessité pour l'homme de choisir seul, avec bonne foi, la conduite qui doit lui permettre de se réaliser le plus pleinement.

En marge de l'école, Albert Camus souligne, dans *Le Mythe de Sisyphe* (1942), les aspects absurdes de la condition humaine et glorifie l'orgueil du héros qui accomplit éternellement, sans faiblesse et sans illusion, sa tâche inutile : « Sisyphe est plus fort que son rocher »; puis, dans *L'Homme révolté* (1951), il exalte les grands individus qui, au cours de l'histoire, ont secoué leurs chaînes et sauvé par leur geste souvent désespéré la dignité de l'espèce.

A ces morales de l'authenticité et de la révolte, les théoriciens marxistes (Georges Politzer, Henri Lefebvre) opposent une morale de l'efficacité : le problème est pour eux de hâter par l'action révolutionnaire l'avènement d'ailleurs inéluctable d'une société sans classes où seront résolues les contradictions nées du régime capitaliste et où tous les hommes pourront accéder au bonheur.

Dans un tout autre esprit, Simone Weil, dont l'œuvre posthume a été révélée au cours de ces dernières années, voit dans le « déracinement » de l'être humain la cause profonde de son désarroi, définit les moyens de rendre sa vie propre plus intense en lui assurant des assises solides dans son milieu naturel (*L'Enracinement*) et cherche avec ardeur une vérité mystique (*La Pesanteur et la Grâce; La Connaissance surnaturelle; Journal*).

LA RÉFLEXION ESTHÉTIQUE : ANDRÉ MALRAUX — Sous le titre collectif *Psychologie de l'Art* (1948-1950), André Malraux a dressé un immense bilan des richesses accumulées par la création artistique depuis les origines de l'humanité. Selon Malraux, l'homme d'aujourd'hui dispose, grâce aux albums, aux recueils, aux répertoires, d'un « musée imaginaire », où sont rassemblées, métamorphosées d'ailleurs par le temps, les reliques des civilisations mortes. Toutes ces manifestations du génie humain, dont notre culture embrasse les formes multiples, attestent une lutte engagée par l'artiste pour échapper à sa condition mortelle. Chaque œuvre d'art est donc la victoire d'un individu sur sa servitude et l'art considéré dans la succession de ses chefs-d'œuvre est la victoire du génie sur le destin. Ainsi se retrouve, à travers les ruines accumulées par les siècles, une raison permanente de croire à la force et à l'honneur d'être un homme.

DATES ESSENTIELLES

GRANDES PÉRIODES	ÉVÉNEMENTS HISTORIQUES	DATES LITTÉRAIRES
I **L'avant-guerre** **(1890-1914)**	**1897-99.** Affaire Dreyfus. **1904-11.** Crises marocaines. **1912-13.** Crises balkaniques.	**1887-96.** Antoine au Théâtre Libre. **1893.** COURTELINE : *Boubouroche.* **1896-1901.** A. FRANCE : *Histoire contemporaine.* **1897.** ROSTAND : *Cyrano de Bergerac.* GIDE : *Les Nourritures terrestres.* **1900.** Péguy fonde les *Cahiers.* **1904-12.** R. ROLLAND : *Jean-Christophe.* **1909.** Naissance de la N. R. F. **1910.** CLAUDEL : *Cinq grandes Odes.* **1910-14.** PÉGUY : *Mystères. Tapisseries.* **1912.** CLAUDEL : *L'Annonce faite à Marie.* **1913.** BARRÈS : *La Colline inspirée.* APOLLINAIRE : *Alcools.* ALAIN-FOURNIER : *Le Grand Meaulnes.*
II **D'une guerre** **à l'autre** **(1914-1940)**	**1914-18.** Première guerre mondiale. **1919.** Traité de Versailles. **1925.** Pacte de Locarno. **1933.** Adolf Hitler prend le pouvoir en Allemagne. **1938.** Accords de Munich.	**1913-28.** PROUST : *A la Recherche du Temps perdu.* **1918.** DUHAMEL : *Vie des Martyrs.* **1922.** VALÉRY : *Charmes.* **1922-40.** R. MARTIN DU GARD : *Les Thibault.* **1923.** COLETTE : *La Maison de Claudine.* J. ROMAINS : *Knock.* **1924.** *Manifeste surréaliste.* **1925.** GIDE : *Les Faux-Monnayeurs.* **1927.** MAURIAC : *Thérèse Desqueyroux* **1928.** GIRAUDOUX : *Siegfried.* **1932-47.** J. ROMAINS : *Les Hommes de Bonne Volonté.* **1933.** MALRAUX : *La Condition humaine.* **1936.** BERNANOS : *Journal d'un Curé de Campagne.* **1936-39.** MONTHERLANT : *Les Jeunes Filles.* **1937.** ANOUILH : *La Sauvage.* MAURIAC : *Asmodée.* **1938.** SARTRE : *La Nausée.*
III **Le temps** **présent** **(1940-1960)**	**1939-45.** Seconde guerre mondiale. **1946.** Quatrième République. **1958.** Cinquième République.	**1940-42.** ARAGON : *Les Yeux d'Elsa.* **1942.** CAMUS : *L'Etranger.* **1944.** SARTRE : *Huis-Clos.* **1946.** PRÉVERT : *Paroles.* **1948.** MONTHERLANT : *Le Maître de Santiago.* **1948-50.** MALRAUX : *Psychologie de l'Art.*

TABLE

TABLE 151

Imprimé en France
par SCIP-Paris
57000 - X - 4 - 7563
Dépôt légal n° 833
2e trimestre 1963